O OITAVO VILAREJO

As Aventuras de Tibor Lobato

Livro Um

O OITAVO VILAREJO

GUSTAVO ROSSEB

Copyright © 2011 Gustavo Rosseb

2ª edição 2016.
5ª reimpressão 2023.

Todos os direitos reservados. Nenhuma parte desta obra pode ser reproduzida ou usada de qualquer forma ou por qualquer meio, eletrônico ou mecânico, inclusive fotocópias, gravações ou sistema de armazenamento em banco de dados, sem permissão por escrito, exceto nos casos de trechos curtos citados em resenhas críticas ou artigos de revistas.

A Editora Jangada não se responsabiliza por eventuais mudanças ocorridas nos endereços convencionais ou eletrônicos citados neste livro.

Esta é uma obra de ficção. Todos os personagens, organizações e acontecimentos retratados neste romance são produtos da imaginação do autor e usados de modo fictício.

Ilustrações da capa: Carolina Mylius

Editor: Adilson Silva Ramachandra
Editora de texto: Denise de Carvalho Rocha
Gerente editorial: Roseli de S. Ferraz
Produção editorial: Indiara Faria Kayo
Assistente de produção editorial: Brenda Narciso
Editoração Eletrônica: Join Bureau
Revisão: Nilza Agua

Dados Internacionais de Catalogação na Publicação (CIP)
(Câmara Brasileira do Livro, SP, Brasil)

Rosseb, Gustavo
    O oitavo vilarejo / Gustavo Rosseb. 2. ed. – São Paulo : Jangada, 2016. – (as aventuras de Tibor Lobato ; 1)

    ISBN 978-85-5539-044-9

    1. Ficção juvenil I. Título.

16-01603   CDU: 028.5

Índices para catálogo sistemático:
    1. Ficção : Literatura juvenil   028.5

Jangada é um selo editorial da Pensamento-Cultrix Ltda.

Direitos reservados
EDITORA PENSAMENTO-CULTRIX LTDA.
Rua Dr. Mário Vicente, 368 – 04270-000 – São Paulo, SP
Fone: (11) 2066-9000
http://www.editorajangada.com.br
E-mail: atendimento@editorajangada.com.br
Foi feito o depósito legal.

À minha família pelo total apoio.

Também à Quelita (Té), onde quer que esteja,
pelo medo e admiração ao folclore, incutidos a mim primeiro.

TENHA UMA
BOA QUARESMA!

I

CHEGADA AO SÍTIO

A aventura começou com um pesadelo...

O caos imperava em todo o agrupamento de ciganos, que naquela semana se instalou próximo a uma cidadezinha, à margem de uma floresta.

Alguns tentavam reaver seus pertences, outros tentavam apagar as labaredas que engolfavam as barracas. Tibor corria desesperado entre as tendas em chamas, em busca dos pais e da irmã. Tinha certeza de que ouviu alguém gritar o nome do pai ali pelos lados da tenda de Rafaelo, mas, chegando lá, só viu fogo. Tentou então na barraca de Dona Amélia, que ficava bem ao lado. Nada. Procurou as tendas de Jonas e de Ana, mas já não existiam mais. Olhou ao redor, quando um chiado chamou sua atenção.

Devia ser impressão sua, mas o fogo parecia vivo. Em questão de segundos, uma parede de línguas ardentes de mais de um metro de altura cercou Tibor, confinando-o dentro de um círculo infernal. O garoto deitou-se no chão de terra batida, gritou pelos pais e pela irmã, mas ninguém veio em seu socorro.

Com um crepitar que às vezes parecia uma gargalhada fantasmagórica, o fogo foi se aproximando, fazendo Tibor se debater em suor, até que um chacoalhão o despertou do seu sono.

Era sua irmã, Sátir, que o acordava.

— Aquele sonho de novo? — quis saber, fitando o irmão com os olhos verdes-folha, iguaizinhos aos dele.

O garoto assentiu, secando o suor da testa com a manga da blusa e agradecendo, em pensamento, que as chamas estivessem apenas em seu sonho.

As duas crianças estavam no banco de trás de um carro que mais parecia uma carroça de tanto que pulava e rangia. O motorista, pelejando com o caminho pedregoso e esburacado da estrada de terra, dirigia em baixa velocidade. Era noite e, para Tibor, a paisagem lá fora parecia um tanto desolada e sombria. Mesmo tendo vivido muito tempo entre os ciganos, acampando aqui e ali, eles sempre estavam próximos de alguma cidade, mas, naquele lugar, Tibor duvidava que alguém soubesse da existência de postes de luz ou telefones!

— Falta muito pra gente chegar? — ele perguntou ao motorista.

O homem respondeu que dali a quinze minutos estariam lá. Tibor conferiu o horário em seu celular novinho, que a avó tinha mandado de presente, e viu que faltavam exatos quinze minutos para as dez da noite.

Foi um domingo exaustivo, quase o dia inteiro sacolejando dentro daquele carro. No rádio, só chiado. Sátir e Tibor não comeram nada desde quando pararam num posto de gasolina e almoçaram um salgado cada.

Mais um tempo se passou e o carro embrenhou-se numa mata fechada que se debruçava preguiçosa sobre uma estradinha de terra.

— Será que ela é gente fina? — perguntou Tibor à irmã.

— Acho que sim, maninho... — ela respondeu com uma pausa carregada de significado, enquanto olhava para o lago escuro que surgia à esquerda da estrada. — Mas, aconteça o que acontecer, a gente tem um ao outro. Isso basta pra tudo dar certo. — O tom tranquilizador da irmã lhe lembrava a mãe. — Vamos dar uma chance a ela, afinal é nossa avó e tem procurado a gente desde sempre, como disseram lá no orfanato.

Tibor concordou com a cabeça.

Tibor e Sátir tinham pouca diferença de idade, ele com 13 e ela com 15 anos. Sátir era pouca coisa mais alta que o irmão, mas sempre se valia dos poucos centímetros que tinha a mais para assumir a posição de protetora oficial dele. Desde a morte de seus pais, o hábito se intensificou. Tibor até gostava da "proteção de irmã mais velha", mas tinha medo de que isso fizesse com que ela se preocupasse demais com ele e deixasse de cuidar de si mesma.

Pouco depois, os faróis fracos do carro iluminaram uma cerca de madeira, com um portão fechada apenas com uma corrente. O motorista desceu e a abriu. Tibor reparou que a luz da lua crescente deixava o bigode do homem engraçado. Ele voltou para o carro e entrou nas dependências do sítio. Mais à frente estacionou, puxou o freio de mão e virou para trás:

— Aqui estamos, meninos! Vocês devem estar ansiosos; vamos lá? — perguntou o bigode do motorista, que cobria toda a sua boca, dando a impressão de que o chumaço de pelos tinha assumia vida própria.

Tibor sentiu o mesmo frio na barriga que lhe vinha acometendo muito nos últimos meses e olhou para Sátir, como quem busca um porto seguro. Ele sabia que ela estava com medo também, mas, mesmo amedrontada, mantinha o olhar firme e um sorrisinho nos lábios que o tranquilizava.

A irmã saiu do carro e foi pegar suas coisas no porta-malas. Tibor a seguiu e se deparou com uma casa enorme. Mesmo sob a luz fraca dos faróis do carro e da lua entrecortada pelas nuvens, distinguiu dois andares de acabamento rústico, com janelas e portas de madeira, e canteiros cheios de flores de diversas cores. Uma escadinha levava a uma varanda, onde ficava a porta principal.

De repente a porta se abriu e lá estava ela. Uma senhora nem muito alta nem muito baixa; nem muito magra, nem muito gorda. Aparentava uns 70 e poucos anos, mas parecia tingir o cabelo, pois, apesar dos fios brancos, predominavam os ruivos. Seu rosto, à primeira vista, era bondoso. Isso confortou Tibor, o que foi bom para que suas mãos deixassem de suar tanto. Reparou que sua irmã analisava a senhora de alto a baixo, como se estivesse avaliando se poderia confiar nela.

Gostava quando a irmã fazia aquilo, pois ficava bem mais tranquilo quando as expectativas dela eram atendidas. Se estivesse bom para a irmã, estaria bom para ele também.

— Ah! Até que enfim! — exclamou a velhota, enquanto descia os degraus em direção ao carro. — Mal posso acreditar que estão aqui no sítio! Esperei anos por este momento. — Aproximou-se de Tibor e Sátir. — Nossa! Como vocês cresceram desde a última vez.

Tibor fez uma retrospectiva rápida, tentando se lembrar se chegou a ver aquela senhora alguma vez. Antes de constatar que sua mente não tinha nenhum registro desse encontro, foi arrancado de seus pensamentos pelo abraço forte da avó. Notou algo estranho: o cheiro dela parecia familiar.

— Só eu sei o quanto procurei vocês, meus netos.

— Ah, eu sei também! Não concorda, Dona Gailde? — perguntou o motorista, colocando as malas dos garotos a seus pés.

— Mas é claro, Raul! — disse Gailde, sorrindo e com os olhos brilhando. — Você acompanha a minha luta há anos, sabe o quanto amo meus netos mais do que qualquer coisa.

— É, eu sei e espero que sejam muito felizes aqui — ele desejou, dirigindo-se aos garotos.

Tibor notou, intrigado, que o homem tinha pressa para ir embora.

— Darei o melhor de mim para que tudo seja perfeito. — Falou Gailde. — Ah, vocês devem estar com fome. Preparei um lanche, espero que gostem de bolo de fubá. Não tem problema se não gostarem, fiz bolo de cenoura também! — Virou-se para Raul. — Não quer entrar também? Deve ter sido uma viagem cansativa até aqui; duvido que não esteja com fome!

O homem arregalou os olhos, aparentemente pego de surpresa pelo convite.

— Não quero incomodar, essa noite é especial para vocês. Com certeza querem se conhecer melhor — falou depressa. — Mas prometo voltar em breve para ver se está tudo bem. — Querendo parecer mais convincente, emendou: — Amanhã tenho uma reunião de negócios e não posso perdê-la por nada.

— Amanhã não é feriado de Carnaval? — indagou a senhora.

O homem pareceu ainda mais nervoso e suas bochechas coraram.

— Pois é! Não é mesmo?! Esses homens de negócios não respeitam nem feriado!

Raul despediu-se de todos apressadamente e voltou para o carro. Ao dar a partida na lata-velha, o motor pipocou e ele partiu com um tchauzinho ligeiro para fora da janela.

A convite da avó, Tibor e Sátir pegaram suas malas e entraram na casa. Foi só colocarem os pés no tapete do hall para sentirem que as coisas talvez começassem a melhorar na vida deles.

Tibor viu o reflexo dos três entrando na casa, num espelho que ficava bem na frente da porta, e achou que pareciam mesmo uma família de verdade. Ele estava cansado do orfanato e sentia falta de uma família reunida.

O lugar tinha uma aparência cálida e acolhedora. O piso de madeira escura era coberto com tapetes desenhados em tons de vermelho. As paredes eram amarelas e tudo parecia muito limpo e arrumado com capricho.

— Gostaram dos presentes que mandei pelo Raul? — perguntou Gailde ao fechar a porta. — Imaginei que iriam gostar de ter celulares. — Os dois fizeram que sim com a cabeça e agradeceram. E ela emendou: — Confesso que não sei mexer muito bem, pedi ajuda ao Raul para comprá-los.

Um crepitar de fogo logo chamou a atenção de Tibor. Notou que ele vinha de uma lareira acesa na parede dos fundos da sala e mantinha o ambiente numa temperatura agradável. Na frente da lareira, havia uma cadeira de balanço estofada com os apetrechos de tricô da avó. Tibor imaginou que aquele deveria ser o passatempo favorito dela.

Abajures antigos enfeitavam a sala com bom gosto. Os olhos dos garotos registravam tudo com deslumbre, mas o que mais os impressionou foi a mesa do café que a avó havia preparado para a chegada deles. O estômago dos dois reagiu com o mesmo entusiasmo — roncou alto de expectativa.

Havia de tudo naquela mesa. Quatro tipos de bolo: milho, fubá, cenoura e chocolate. Café, achocolatado, chá. Tibor reparou que o leite era espesso e gorduroso, diferente do que estava acostumado a tomar.

Os dois irmãos não se lembravam de um dia ter visto uma mesa tão farta como aquela, e só para eles. Nos primeiros minutos, o silêncio pairou sobre eles. Tibor e Sátir nem tocavam direito na comida, querendo não parecer mal-educados. Gailde deve ter percebido, pois logo foi dizendo:

— Ora, achei que estivessem com fome! Fiquem à vontade, meninos. Fiz isso especialmente pra vocês e, se não comerem, vai estragar tudo; o que será um pecado porque esse bolo de cenoura está realmente... — Ela enfiou um pedaço inteiro na boca e completou com a boca cheia — ...divino! Hummm!

Isso bastou para que as crianças deixassem de lado o constrangimento e se fartassem, com prazer, de todas aquelas guloseimas. Por fim, Tibor sentiu-se até triste de tanto comer.

Depois da refeição foram para a sala e Gailde sentou-se em sua cadeira de balanço, começando um tricô rápido e automático. Sátir esparramou-se no sofá e Tibor, ainda com o pesadelo em mente, deitou-se no tapete, mantendo uma distância segura das labaredas da lareira.

— Tive medo de nunca encontrá-los — falou Gailde de repente. — Nossa! Vocês cresceram muito desde a última vez que os vi, mas é claro que não se lembram, não é? Tibor ainda era um bebê e Sátir estava começando a dar seus primeiros passinhos.

— Por que não procurou a gente antes? O que fez a senhora ficar longe por tanto tempo? — perguntou Sátir.

A avó colocou o tricô de lado, olhou para a menina e, com um suspiro, explicou:

— Meu filho, Leonel Lobato... Ai, que saudade dele!... — suspirou ela com um olhar de devaneio. — Ele sempre gostou das matas, com certeza puxou o avô. Leonel casou-se com Hana. A mãe de vocês era como ele; ambos amantes da natureza. Resolveram um dia largar tudo, a vida na cidade e seus empregos, para viver com um agrupamento de ciganos. Eu disse que seria loucura, estavam com dois filhos pequenos e talvez não fosse seguro. Sugeri que viessem morar comigo aqui, afinal este sítio é enorme e caberíamos todos nós, mas eles estavam entusiasmados demais para desistir da ideia. — Ela abriu um sorrisinho triste. — Foi bom pra eles, enquanto durou. Sinto muito a falta deles... Às vezes, ainda parece que estão viajando. Acampando aqui e ali, aproveitando a vida como sempre quiseram. Foi difícil para mim, não tínhamos quase nenhum contato. — Tibor notou que os olhos dela começavam a marejar. — Soube da tragédia pela TV. Chorei demais e fiquei tão arrasada que acabei até me desfazendo do aparelho. Como podem ver, não tenho TV aqui.

Nessa hora Tibor ficou um pouco desanimado, depois se lembrou que tinha vivido tanto tempo acampando sem televisão que certamente não sentiria falta. Estava acostumado.

— Como todos os documentos foram queimados no incêndio, as autoridades mandaram vocês dois para um orfanato. Comecei a procurar nos orfanatos próximos do acampamento, mas tive alguns... — Nesse momento, Gailde levou as mãos até o pingente verde que carregava no pescoço e o movimento não passou despercebido para Sátir — ...contratempos. que me impediram de continuar a busca por vocês. Sinto muito tê-los deixado dois anos naquele orfanato. Vou fazer o que puder para compensar isso. — Ela secou uma lágrima e abriu um sorriso contente. — Quero que sejam felizes aqui! — disse, por fim, voltando a tricotar.

Passado algum tempo, medido apenas pelo crepitar das brasas da lareira, Sátir perguntou:

— Que tipo de contratempo a senhora teve?

— Sátir! — advertiu Tibor, achando que a irmã estava sendo enxerida.

— Tudo bem, Tibor — tranquilizou Gailde, colocando as agulhas sobre a mesinha do abajur. — É justo que saibam o que os obrigou a ficar tanto tempo naquele lugar. E imagino que não gostavam de lá, certo?

Os dois fizeram que não com a cabeça, quase sem pensar.

— Vocês têm o direito de saber o que me fez interromper as buscas durante esses dois anos. Eu, que sou tudo o que resta da família de vocês. Pena que esse assunto exija talvez um pouco de... — ela parecia escolher as palavras cuidadosamente — ...conhecimento.

Um silêncio cheio de expectativa pairou no ar enquanto os dois esperavam a avó continuar.

— Como assim? — perguntou Tibor, ansioso.

— Vocês precisam saber que existem coisas que não dá para explicar com palavras. — Ela fez uma pausa para encontrar o melhor jeito de falar e continuou: — É preciso ver para entender. Hoje é domingo e imagino que, em breve, vocês saberão do que estou falando.

Tibor e Sátir não engoliram a explicação, e com certeza aquele assunto ficaria em seus pensamentos por um bom tempo.

— Eu prometo que vocês saberão, mas talvez ainda não seja a hora — completou Gailde, já puxando outro assunto. — Estou vendo uma pessoa pra ensinar vocês, não podem ficar sem estudar! A mãe de um garoto da vila é professora, seria uma ótima opção pra vocês.

— Estudar? Mas que droga! — reclamou Tibor, voltando a atenção para a lareira.

— Meu nobre rapaz, o saber é a grande virtude de um ser!

— Eu sei, eu sei. Só não gosto de estudar! — falou ele. — Prefiro a liberdade.

— Há! Há! HHHhá! — riu Gailde com vontade. — Pois então, prepare-se! Neste sítio, o que não falta é liberdade. E há tanto que fazer que você vai implorar pelo pouco de paz que um bom livro pode proporcionar. Isso eu garanto.

— Rá! Disso eu duvido! — brincou Tibor.

E todos riram na sala.

A conversa enveredou por diversos assuntos. Gailde contou sobre coisas que o pai deles aprontava na adolescência, Tibor e Sátir contaram coisas sobre o acampamento com os ciganos e como eram tratados no Orfanato São Quirino. Logo perceberam que a vida no sítio poderia ser muito boa, pois os três estavam se dando muito bem.

Enquanto a noite passava pela conversa deles, a lareira baixou seu fogo e as sombras ondulantes esparramadas pela sala foram se tornando maiores.

— Devem estar com sono, crianças! Ficamos tão entretidos na conversa que nem mostrei o resto da casa pra vocês e, agora, devem estar tão cansados que, se eu tentasse mostrar os outros cômodos, dormiriam no corredor. — Os dois sorriram para ela, concordando; estavam com as pálpebras pesadas de sono. Tibor pegou-se até babando duas vezes.
— Bom, espero que aguentem chegar aos quartos, pois, na minha idade, não tenho mais condições de carregar vocês no colo — brincou Gailde, ao flagrar o neto numa de suas pescadas.

Tibor subiu a escada atrás de Gailde, seguido por Sátir, e acabou pensando alto, em dúvida se havia escutado direito:

— Quartos? Quer dizer um para cada um de nós?

— Mas é claro! — respondeu a avó.

— Uau! Nunca tive um quarto só pra mim! — exclamou ele, ao chegar à porta do seu.

Sátir teve a mesma reação, somada a um abraço apertado em Gailde. A avó retribuiu com um abraço nos dois com tamanha intensidade que os meninos sentiram, finalmente, que tudo ficaria bem e poderiam dormir em paz, de verdade, depois de dois terríveis anos de orfanato.

Os quartos eram rústicos como o resto da casa: Ambos com um enorme espelho com uma penteadeira; o de Tibor tinha um baú com carrinhos de coleção, alguns inclusive feitos em madeira, que, ele descobriu mais tarde, tinham sido do pai, quando criança.

Tibor deitou-se em sua cama logo depois que a avó se despediu com um beijo de boa-noite. Passou a prestar atenção no som da chuva, que começava a cair devagar do lado de fora.

Podia ouvir os barulhos da mata ao redor. Os cricris dos grilos compunham a música selvagem que agora tocava em sua cabeça. Aos poucos, a melodia sincronizada dos insetos com os pingos da chuva engolfaram Tibor num sono profundo, antes mesmo de chegar a um possível refrão. Não demorou muito para que os irmãos Lobato apagassem por completo em suas camas, o sono pesado dos dois provando como o dia tinha sido exaustivo.

Ao acordar pela manhã, Sátir foi até o quarto de Tibor, sentou-se na beirada da cama do irmão e o acordou, bagunçando seu cabelo castanho-claro:

— Ei, maninho, acorda! — Tibor abriu um olho e virou para ela sua cara inchada. — E aí, dormiu bem?

Ele espreguiçou-se com os braços esticados, sorriu e disse com a voz engrolada e amanhecida:

— Melhor impossível!

— Também acho. Dormi muito bem e aqui parece ser legal — disse ela, explorando com os olhos o quarto do irmão. — Nossa avó parece se importar mesmo com a gente. — A menina pousou o olhar no rosto de

Tibor, ainda com as marcas do travesseiro de penas de ganso, e mudou de feição. — Só fiquei encucada com o que ela disse sobre os últimos dois anos.

— Ou melhor, com o que ela *não* disse, né? — completou Tibor, cruzando os braços atrás da cabeça.

— Reparou na pedra que ela tinha no pescoço? — perguntou Sátir.

— Não! Que pedra? O que tem ela?

— Não sei! Só achei estranho o jeito que ela apertou o pingente quando disse que teve uns "contratempos" para nos encontrar. — De repente, a menina pareceu ter se lembrado de algo muito importante. — Outra coisa, não temos TV!

— Ah, Sátir! Pra que precisamos de TV? Lembra como eram as coisas quando a gente acampava? Você está assim por causa da novela que assistia escondida na sala da Romilda do orfanato. Vivemos quase a vida toda sem televisão, qual o problema em continuar assim?

Devia ser por volta das onze da manhã e o cheiro de comida os visitou lá em cima. Os irmãos desceram depressa e encontraram Gailde já atarefada com os afazeres matinais.

— Bom dia! — cumprimentaram os dois.

— Oh! Que bom que acordaram! Bom dia para vocês também, mais um pouco e eu iria tirá-los da cama. Estou ansiosa para que conheçam o sítio. — Ela foi tirando o avental enquanto falava e pendurou-o num preguinho na parede de azulejo branco. Então levou uma forma até a mesa. — Venham tomar um café rápido, que já está quase na hora do almoço. Fiz uns pães de queijo.

Os dois esbaldaram-se de novo e Tibor pensou que, se continuasse assim, em poucas semanas viraria uma bola.

Conheceram a casa toda. Viram o quarto da avó, no andar de cima, depois visitaram o porão e a despensa, e saíram para a varanda da frente da casa, de onde puderam ver toda a extensão do sítio. A uns quatrocentos metros ficava a porteira que tinham atravessado de carro na noite anterior. Ao lado, havia uma mangueira alta e de tronco grosso, carregada de mangas. Visitaram o curral e conheceram Mimosa, a vaca leiteira do sítio. Depois viram o galinheiro, onde Gailde pegou ovos para o almoço, e conheceram também o poço. Atrás da casa havia uma horta com diversos tipos de legumes e verduras. De tão perito que era no assunto, Tibor Lobato só reconheceu a alface:

— Aquilo ali é alface? — arriscou o garoto.

— Certa a resposta, dez pontos pra você! Não é assim que falam na TV? — brincou Dona Gailde, e todos deram risada.

Ao longo do dia, a familiaridade entre eles foi aumentando. Sátir e Tibor ajudaram a avó com o almoço e a louça. Gailde ensinou que, para se ter leite, deveriam tirá-lo da vaca. E teriam também que alimentá-la, o mesmo valendo para as galinhas. Todos os dias eles deveriam cumprir algumas tarefas para manter o sítio em ordem.

— Como a senhora mantém tudo isso nessa organização, sozinha? — perguntou Sátir.

— Ah! Obrigada pelo elogio, saiba que nem sempre foi assim. Há seis ou sete anos, mais ou menos nessa época, parecia que um vendaval havia passado por aqui. Não adiantava limpar nada, o vento que soprava era tão forte que assobiava alto e dava nó na crina dos cavalos, no rabo das vacas e no dos cachorros. — Ela parou um pouco ao observar a reação aturdida dos netos, diante do jeito às vezes inusitado com que a avó falava as coisas. — Mas não cuido sozinha do sítio. Eu conto com a ajuda de um garoto formidável — e apontou para Sátir —, acho que ele tem a sua idade. Mora nesse vilarejo mesmo e é filho da senhora que dará aula a vocês. O nome dele é Rurique. Logo vão conhecê-lo. Um garoto muito prestativo. Ele vai ensinar vocês dois a cumprir todas as tarefas, e vou pedir também que mostre um pouco da vila. Falando nisso — Gailde olhou para o sol —, ele já devia ter chegado...

Depois do almoço, quando a agradável excursão pelo sítio já tinha acabado, Tibor deitou-se na grama de barriga para cima, pensando em todas aquelas tarefas, e constatou que seriam moleza, daria conta num instante. Fitou o céu azul onde duas borboletas de cor laranja brincavam como se dançassem no ar. Seu coração estava feliz, não haveria mais bronca ou castigo da Romilda e nem brigas com o Marcinho do orfanato. Aquele sítio era perfeito em todos os sentidos.

    Estava ali sonhando acordado, enquanto Sátir assistia Gailde cuidar das flores em volta da varanda, quando um rangido chamou sua atenção. Ele se sentou e viu um garoto magrelo abrindo a porteira, vestido com uma roupa surrada.

    — Boa tarde! — cumprimentou o garoto ao passar por Tibor.

    — Tarde! — disse Tibor em resposta.

    — Você deve ser o Tibor e aquela é sua irmã, Sátir.

    Tibor confirmou com a cabeça.

    — Sua avó fala muito de vocês. Vieram da cidade?

— Mais ou menos isso. Você é Rurique, certo?

— É, eu sou — confirmou o garoto. — Bom. Prazer em conhecer você. Vou ver se ela precisa que eu faça alguma coisa; até mais. — E com um aceno, Rurique deu-lhe as costas e seguiu em direção à casa.

— Até. — Tibor respondeu... para ninguém.

Tibor ficou observando e pôde ver a avó sorrir, ao apresentar o garoto a Sátir. Depois ela acenou para que Tibor se juntasse a eles e fez sinal, avisando que iam até o curral.

Os irmãos aprenderam com o garoto magricela a primeira tarefa, tirar o leite da vaca, o que rendeu boas risadas. Tibor e Sátir conseguiram meio balde de leite, o resto se espalhou pelo chão e pelas roupas deles.

Seguiram depois para o galinheiro. Sátir correu de um galo que a perseguiu em fúria mais de uma vez, mas, enfim, aprenderam como alimentar as galinhas e manter a limpeza e a organização do galinheiro. Saíram de lá com penas nas roupas e nos cabelos.

Quando o sol já se retirava por trás de uma colina e os pássaros voavam depressa pelo céu em busca do seu abrigo noturno, Rurique avisou que iria embora. Tinha de chegar em casa antes do anoitecer ou a mãe lhe puxava a orelha, justificou-se ele.

Tibor, Sátir e Gailde agradeceram e se despediram de Rurique, enquanto os cricris dos grilos recomeçavam pouco a pouco a preencher o silêncio, e a lua exibia-se majestosa no céu azul-petróleo. Tudo, ao redor, era perfeito. Os garotos só lamentavam o fato de não terem conhecido aquele sítio antes.

2

ASSOMBRAÇÕES E CELULARES

No dia seguinte, Tibor, Sátir e Rurique já pareciam velhos amigos. Os três estavam sentados nos galhos da mangueira, ao lado da entrada do sítio, as mãos pingando com o sumo da fruta. Tibor chupava um caroço de manga.

— Humm! Essa é a melhor manga que já comi na vida! — disse ele com a boca toda lambuzada.

— Você disse isso no final de cada uma das quatro mangas que comeu — observou Rurique, descascando mais uma.

— É, eu sei. Estava enganado. Essa última foi, definitivamente, a melhor — Tibor concluiu, atirando o caroço aos pés da árvore, no gramado.

Sátir estava no galho mais alto, admirando a paisagem lá de cima; via colinas e mais colinas ao longe.

— Puxa, como é lindo aqui! — disse ela, bocejando. — Ai, Rurique! Eu brigaria com você por ter acordado a gente tão cedo, mas por conta dessa paisagem, tá tranquilo.

— Não sei como é na cidade, mas, por aqui, todo mundo acorda cedo — comentou o menino. — E olha que ainda não acordei vocês no horário que devia. O certo é acordar junto com o cantar do galo, assim se aproveita bem mais o dia. Você vê o sol se levantar e se deitar. Olha só que absurdo, já é quase meio-dia!

A porteira rangeu, era Gailde chegando.

Tibor pulou da árvore e foi ajudá-la com as sacolas, Rurique e Sátir fizeram o mesmo.

— Aonde você foi, ...vó? — perguntou Tibor.

Gailde deu um sorrisinho disfarçado ao ouvi-lo chamá-la de "vó" e esboçou um olhar de quem tinha ganhado o dia com aquela palavrinha de duas letras.

— Fui até o sítio do Rurique tratar com a mãe dele sobre os seus estudos e os de sua irmã, mas ela só vai estar disponível depois da quaresma. É claro que eu já esperava, porque essa época é realmente conturbada por aqui, mas nada que nos impeça de sobreviver, não é?

Tibor não entendeu nada.

— A senhora perguntou à minha mãe o que pedi? Se posso dormir aqui hoje? — quis saber Rurique.

— Perguntei, sim. Ela disse que, se você quiser, está liberado.

— É claro que eu quero! — disse ele, sorridente e empolgado.

Os três já começaram a fazer planos para aquele dia, o que incluía fogueira e esconde-esconde, entre outras coisas.

Rurique pegou mais uma sacola para aliviar o peso da mão de Dona Gailde.

— Humm! Laranjas! — exclamou Sátir abrindo a que carregava.

— Eu achei uma laranjeira carregada à beira da estrada e apanhei estas, por isso demorei um pouco. Devem estar com fome, mas já deixei algumas coisas adiantadas e logo termino o almoço.

— Não estamos com fome não, vó — falou Tibor. — Comemos muita manga.

— É verdade. Minha barriga está até doendo — completou Rurique.

Colocaram as laranjas na fruteira da cozinha, junto às bananas e os jambos, e foram para o gramado da frente. Logo após jogarem os caroços de manga chupados no lixo, sentaram-se à sombra de uma árvore e passaram a discutir o que fazer primeiro, já que as tarefas daquele dia haviam sido todas terminadas.

O dia passou depressa e foi maravilhoso. Os três correram e pularam, tomaram banho de mangueira à tarde e cochilaram ao sol até se secar. Ao chegar da noite, cataram galhos secos para a fogueira e ajudaram Gailde a embalar batatas-doces em papel-alumínio.

Quando a lua se fez alta no céu, armaram e acenderam a fogueira. Em volta do fogo, Rurique explicou aos dois sobre a região, contando que antigamente tudo era apenas uma única cidade chamada Cascudo e que um prefeito maluco, um belo dia, resolveu dividir a cidade em sete vilas. Ninguém entendeu nada, mas a vontade dele foi feita e a cidade foi dividida. Rurique contou que o lugar onde moravam era chamado de Vila do Meio, pelo fato de estar rodeado pelos outros vilarejos.

— Falta de criatividade da pessoa que deu esse nome, não acham? — comentou Sátir.

Rurique disse também que eram poucos os sítios vizinhos ao da Dona Gailde, a não ser pelo seu próprio sítio, um outro de um fazendeiro chamado Pereira e mais um, onde os donos quase nunca apareciam. Lá morava apenas o caseiro, um tal de "João alguma coisa" que os irmãos não entenderem o nome. O resto da vila era uma floresta densa e fechada.

Já era bem tarde quando a lenha começou a formar brasa na fogueira. Gailde, que tinha ficado dentro da casa ocupada com seus afazeres, despediu-se de todos da porta e foi dormir, mas os três estavam com a adrenalina a mil, pois Rurique disse que contaria histórias de assombração que tinham acontecido nos vilarejos.

Muniram-se então de refrigerantes da região — novidade para os Lobato — e voltaram a se sentar em pedaços de tronco, em volta da fogueira. O garoto sabia fazer suspense, pois já olhava para os novos amigos com uma expressão macabra no olhar.

— O que querem saber? — perguntou Rurique, num tom fantasmagórico.

— Não sei, não sabemos de nenhum assunto ou boato para perguntar — respondeu Sátir. — Escolha uma história você!

— Está bem! Mas depois não me culpem se não conseguirem dormir ou acordarem com a cama molhada de suor ou xixi. Entenderam bem?

Todos caíram na risada que, naquele lugar ermo no meio da floresta, ecoou de maneira estranha. Rurique foi o primeiro a ficar sério, Tibor e Sátir fizeram o mesmo.

Os dois encararam Rurique com expectativa por um tempo, enquanto o garoto fazia suspense.

— Tudo começa com a quaresma! — iniciou o magricela.

Tibor apurou os ouvidos imediatamente interessado e um arrepio subiu-lhe pela espinha. A avó tinha comentado algo sobre aquela palavra, mas ele já não lembrava mais o que era.

— A quaresma é um período de, mais ou menos, quarenta dias, em que coisas estranhas acontecem e, principalmente, por aqui. — Rurique fez uma pausa e olhou para os dois, enquanto Sátir avaliava se sua batata-doce já estava boa para comer. Quando viu que tinha toda a atenção dos irmãos, o garoto continuou. — Neste ano, o período da quaresma começa no dia 17 de fevereiro...

— Que dia é hoje? — interrompeu Tibor, já sentindo um medo estranho se esgueirar dentro dele. Deu uma boa golada no refrigerante para disfarçar. A bebida gasosa tinha sabor de guaraná.

— Terça-feira, dia 16. Amanhã será quarta-feira de cinzas, esse é o terceiro dia que estão aqui — disse Rurique. GLUP!, foi o som que veio da garganta de Tibor, ao engolir o refrigerante de tubaína. —... E a quaresma termina no dia 2 de abril, na Sexta-feira da Paixão.

— Que tipo de coisas acontece por aqui? — perguntou Sátir, sem demonstrar medo algum.

— Ah! Vocês sabem... coisas — respondeu Rurique, meio desconcertado.

— Não, não sabemos — retrucou ela, inquiridora.

— Nunca ouviram falar de uma tal mula que anda por aí sem cabeça?

— Ah, isso é folclore! É lenda que as pessoas contam — disse Tibor.

— É? E de onde acha que vieram essas lendas? — indagou Rurique.

Tibor deu de ombros.

— Sei lá! São histórias inventadas.

— Que são inventadas, são, mas foram criadas a partir de fatos reais.

— Ahá! Você quer botar medo na gente com historinhas de folclore? Tenha paciência! — exclamou Sátir. — Alguém quer batata-doce? Já estão prontas.

Ninguém respondeu e Rurique continuou:

— Eu mesmo nunca vi, só ouvi. Dizem que ela passa num galope rápido e nervoso. Meu pai viu uma quando voltava de uma pescaria na Lagoa Cinzenta, lá no Vilarejo do Braço Turvo. Disse que era noite e ela foi na sua direção, e ele se encolheu rápido no chão, fechou os olhos, a boca e escondeu os dedos.

— Por que ele fez isso? — perguntou Tibor, interessado.

— A mula é atraída pelo branco dos olhos, dos dentes e pelas unhas. Se ela enxergar uma dessas coisas, ataca a pessoa até a morte. — Rurique fez uma pausa para ver a reação dos irmãos. — Meu pai deu sorte, ela passou direto como se ele nem estivesse ali.

Sátir não acreditou numa palavra, mas Tibor, que prestava toda atenção à história, olhou para os lados inquieto e não parava de tremer.

— Não acredita, não é? — perguntou Rurique à Sátir.

— Nem um pouco, desculpe.

— Que tal dar uma olhada no seu celular?

— Meu celular? O que tem ele? — perguntou, cética.

— Quando estamos na quaresma ou próximo dela, a maioria dos aparelhos eletrônicos para de funcionar por aqui. Não sei qual a explicação e nem se existe uma. Mas com certeza o seu celular já era.

Ela retirou o aparelho do bolso e constatou que estava sem sinal.

— Não disse? — gabou-se Rurique, cheio de si por ter razão.

— Isso não prova nada. Como vou saber se, quando chegamos aqui, ele não ficou sem sinal? Não usei o telefone desde quando a gente chegou.

— Eu, sim. Coloquei nossos dois celulares para carregar e não estavam sem sinal — disse Tibor.

— Será que não estavam mesmo? — perguntou Sátir. — O que quero dizer é que você não sabe com certeza se estava sem sinal, pois, quando colocou os dois para carregar, não estava prestando atenção nisso.

Tibor parou para pensar e estava começando a dar razão à irmã quando se lembrou:

— Mas eu usei o meu no carro na vinda pra cá e ele tinha sinal.

Ela ficou em silêncio por um breve instante e completou:

— Ainda acho que esse papo de celular sem sinal não prova nada. Primeiro porque nós nem sabemos usar esse negócio direito. E segundo que estamos no meio do nada! — E deu uma mordida na batata-doce.

— Tá bom! Você não quer acreditar, mas, quando encontrar a mula, não diga que não avisei, e lembre-se de esconder os dedos, os olhos e os dentes.

Os três ficaram quietos e comeram as batatas, nervosos, com exceção talvez de Sátir, que se negava a abrir mão da sua "lógica racional".

De repente a fogueira estalou e Rurique começou a dar risada.

— O que foi? — quis saber Tibor. — O que é tão engraçado? — Rurique riu mais alto ainda. — Fala logo!

— Sua cara de medo é engraçada — respondeu Rurique, rindo e se desviando depressa antes que Tibor o acertasse com uma bolinha de papel-alumínio. — Eu concordo que a história é meio medonha, mas também tenho minhas dúvidas se ela é real, apesar de meus pais não gostarem que eu saia nas noites de quaresma. E que eu me lembre, toda época de quaresma, coisas estranhas acontecem por aqui, mas tudo vira boato depois de um tempo.

— Então o papo da mula é furado? — Tibor quis se certificar.

— Pode ser que sim e pode ser que não. Eu não sei, mas bem que queria descobrir.

— Eu também — disse Sátir, fazendo Tibor olhar para ela com surpresa, estranhando a atitude da irmã. — Ora, Tibor! — exclamou ela, piscando um olho para ele, que não entendeu o plano. — O que me diz de uma aventura? A gente podia ir para a estrada agora e esperar que essa tal mula apareça, o que acham?

Tibor pensou e respondeu incerto:

— Eu não acho que seja uma boa...

Sátir piscou um olho mais umas duas vezes, para que ele entrasse no jogo dela.

— Hãã... tudo bem... — concordou ele, pressentindo que estava em apuros.

— Legal! E você, Rurique, o que me diz?

Rurique manteve-se firme e fingiu não perceber o plano da garota. Ele sabia que ela queria ver se ele era realmente corajoso. E não aceitaria nenhum desaforo de uma *meninazinha* da cidade.

— Eu tenho uma ideia melhor. — Falou o magricela.

— Rá! Sabia que fugiria — disse ela.

— Não estou fugindo de nada, quero propor algo muito mais interessante — retrucou ele. — O sítio mais próximo, seguindo pela Estrada Velha, é o do velho Pereira, que desapareceu faz quase dois anos e todo mundo acha que ele morreu. O sítio está abandonado e nenhum parente veio saber dele ou da casa, se é que ele tem parentes! Dizem que o sítio é assombrado pelo seu fantasma e quem entra lá nunca mais sai. — Rurique percebeu no olhar de Sátir que ela estava em dúvida se deveria aceitar a provocação e resolveu alfinetar: — Mas, é claro, isso é só historinha pra assustar criança.

Sátir levantou-se e disse num tom de desafio:

— Onde fica esse sítio? Vamos agora?

— Calma aí, pessoal! A gente não precisa ir a lugar nenhum e nem provar nada pra ninguém — contestou Tibor. — Vamos tomar mais um refrigerante e... — Quando Tibor percebeu, estava falando praticamente sozinho. Rurique e Sátir já corriam para dentro da casa. Tibor disparou atrás. — Ei! Vocês me deixaram aqui sozinho. Que brincadeira mais idiota!

Mas Tibor percebeu que os dois não tinham entrado só para deixá-lo lá fora sozinho e botar medo nele, pois logo que entrou viu Sátir pegar sua mochila e uma lanterna, e Rurique enfiar um canivete e um estilingue no bolso.

— Não estão pensando em invadir o sítio desse tal Pereira, estão?

— Shh! Fala baixo ou vai acordar a vó! — ralhou a irmã.

— Sátir, o que pensa que está fazendo?

— Maninho — cochichou ela em seu ouvido, para evitar que Rurique ouvisse —, esse menino está querendo assustar a gente, contando baboseiras. Só quero provar que nós não temos medo desse tipo de historinha. Além do mais, vai ser uma aventura e tanto, bem mais interessante que qualquer novela ou filme da TV. E aí, o que me diz?

— Que você está louca!

— Tudo bem! Então fique aqui que eu volto logo com Rurique de calças molhadas, de tanto medo.

— Não! Eu vou com vocês — decidiu Tibor.

— É assim que se fala, maninho! — E então ela ficou séria. — Você sabe que não vou deixar nada acontecer com você, não sabe? Estou fazendo isso porque sei que ele vai desistir, antes mesmo de cruzar a porteira deste sítio.

Tibor sentiu-se mais confiante. Se era só até a porteira, não havia problema algum...

Saíram os três de mochila nas costas e lanternas na mão. Lá fora, o frio parecia bem mais presente do que antes.

Tibor olhou para a solitária fogueira ao longe e achou que ela parecia assustadora, agora. É só até a porteira e isso tudo é papo-furado, pensava ele. *Não existe essa história de mula ou assombração, é tudo conto pra pôr medo em crianças!*

Chegaram na porteira e se encararam. Sátir e Rurique trocaram olhares cheios de desafio, esperando para ver quem desistiria primeiro. Mas como nenhum deles desistiu, Rurique foi abrindo a porteira, enquanto Sátir olhava para o irmão com uma expressão confiante.

Tá legal! Então só até essa tal de Estrada Velha e voltamos, falou Tibor mentalmente. *Não existe mula, nem assombração.*

Passaram a porteira e iniciaram sua pequena jornada pela trilha de terra que levava até a Estrada Velha. Andavam num passo acelerado e com as lanternas iluminando o caminho. Sátir, a todo momento, verificava se o irmão estava bem.

Não demoraram muito para chegar à Estrada Velha. Se naquela noite que chegaram de carro, três dias antes, acharam a estrada assustadora, isso não era nada comparado a agora. O facho de luz das lanternas iluminava pouca coisa em meio à grande escuridão ao redor.

Sátir e Rurique encaravam-se a todo instante, mas Tibor agora via que a teimosia dos dois os levaria longe demais. Confirmou seus temores quando os dois seguiram em frente sem nem uma vez cogitar em voltar. O garoto sabia que a irmã estava com medo, mas, como sempre, ela não demonstraria.

Seguiram rumo ao sítio abandonado, descendo a estrada esburacada. Tibor sentia o cheiro forte de mato e podia ver a silhueta escura das árvores nas laterais da estrada, margeando a mata fechada.

Ele mirava sua lanterna para todos os lados, com medo do que podia se esconder nas sombras, e, embora ninguém dissesse nada, percebia que seu medo era compartilhado pelos outros dois.

— Pessoal, vamos parar com isso! Só estou eu aqui, além de vocês, e sei que são corajosos o suficiente para seguirem em frente, então não precisam tentar me provar nada. Por que não voltamos para o sítio? — Ele esperou uma resposta, que não veio. — Sátir! — chamou, suplicante. — Por favor!

Sátir hesitou ao ouvir o pedido do irmão e, depois de um instante, respondeu:

— Tá legal! Vamos voltar.

Foi quando ouviram um barulho na estrada atrás deles, aproximando-se pelo mesmo caminho que tinham feito.

— Apaguem as lanternas! — avisou Rurique, e os irmãos obedeceram. — Venham atrás de mim, rápido! — Eles continuaram seguindo pela estrada, pois, quem quer que fosse, estava bloqueando o caminho de volta.

Passaram por uma cerca de arame farpado, que presenteou Tibor com dois novos buracos em sua camiseta, e ficaram observando a estrada atrás de um arbusto. O coração dos três batia na boca. Não conseguiam parar de tremer e tentavam segurar a respiração ofegante para não fazer barulho.

Foi quando viram. Uma velha vinha caminhando lentamente pela estrada, sem lanterna ou lampião, parecendo procurar alguma coisa, sem se incomodar com a escuridão à sua volta.

Sem saber por quê, Tibor sentiu algo de perigoso na mulher, e não foi o único. Sátir já o puxava pela camiseta, para correrem dali, enquanto a velha chegava mais perto.

Depois de uma breve corrida, os três se depararam com uma casa logo à frente.

— Este é o sítio do Pereira — anunciou Rurique, com medo na voz. — Preciso confessar. Estou morrendo de...

— Eu também! — interrompeu Sátir, tremendo. — E agora, o que a gente faz?

— Não sei! — respondeu Rurique. — Dizem que quem entra aí nunca mais sai.

— Você não mora neste vilarejo? Devia saber o que fazer, a gente não conhece nada por aqui! — falou Tibor, bravo.

Mas antes que alguém se pronunciasse, a resposta do que fazer veio na forma de um barulho na cerca que tinham acabado de atravessar. Tibor notou que a velha estava fazendo alguma coisa no arbusto onde haviam se escondido há pouco. Não tinha muita certeza, mas parecia que ela estava "farejando" o local.

Sem pensar, os três correram na direção da casa, sem alternativa a não ser entrar e se esconder. Rurique encontrou uma janela semiaberta e ajudou Sátir a pular para dentro. Depois ajudou Tibor e pulou por último. Trancou a janela por dentro e pediu, com um gesto, para que todos ficassem quietos.

3

O GORRO

De dentro da casa escura, ficaram ouvindo os passos abafados da velha se aproximando, do lado de fora.

Os três, sentados no chão, encostados na parede da janela, tremiam feito vara verde. Parecia que o coração deles iria saltar pela boca. De repente, sentiram que a velha parou do lado de fora da janela onde estavam. E a ouviram dar pequenas e fortes fungadas. Então ela pôs-se a andar novamente, como se estivesse indo embora.

— O que foi isso? — sussurrou Tibor a Rurique.

— Eu não sei.

— Ela estava farejando a gente! Aquela velha estava farejando *a gente!* — dizia ele, indignado.

— Shh! — fez Sátir com o dedo sobre os lábios, quando ouviram passos na porta da entrada da casa.

TOC TOC TOC

Com o susto, os três levaram as mãos à boca, tentando conter um grito.

— Ela sabe que estamos aqui! — sussurrou Tibor, o mais baixo que pôde.

TOC TOC TOC, bateu a velha novamente, desta vez mais pausadamente.

Tibor, Sátir e Rurique ficaram imóveis e, depois de algum tempo, sem ouvir nada além de suas respirações abafadas, acharam que a velha tinha ido embora. Mesmo assim eles esperaram mais um pouco. Depois foram até a janela e não viram ninguém do lado de fora.

Agora tinham outro problema: estavam dentro de uma casa que diziam ser assombrada.

— Será que essa velha é a assombração de que falam? — questionou Tibor.

— Não mesmo! O que dizem é que o fantasma que mora aqui é o do fazendeiro Pereira — esclareceu Rurique. — Vamos voltar para o sítio, antes que dê meia-noite.

— Você é louco? A gente tá bem mais seguro aqui dentro do que lá fora! — discordou Sátir. — Acho que é melhor esperar amanhecer.

— De jeito nenhum! Essa casa é assombrada! — rebateu Rurique. — Não fico aqui nem mais um minuto. Eu não quero estar aqui quando a quaresma começar daqui a pouco.

— Escutem aqui, vocês dois! — intrometeu-se Tibor. — Não vamos nem sair agora, nem ficar até o amanhecer. É melhor a gente esperar só um pouco mais aqui dentro, porque não sabemos se essa velha está esperando a gente aí fora. — E completou, impaciente: — E vocês são burros demais! Mais uma disputa de teimosia de vocês e a gente acaba morto!

Rurique e Sátir engoliram o orgulho e constataram que Tibor, apesar de ser o mais novo ali, era quem estava com a razão. Então resolveram esperar.

A casa parecia abandonada, inclusive pela tal assombração. Nada se movia ali dentro e tudo parecia estar no mesmo lugar desde o sumiço do tal fazendeiro. Tudo tinha uma camada grossa de poeira e um cheiro de mofo que fazia o nariz coçar.

— Se essa assombração estivesse mesmo aqui, ela teria atendido à porta, não acham? — disse Sátir, arriscando uma piada que ninguém riu.

Andaram pela sala, olhando os móveis e a decoração. A casa do fazendeiro não era maior que a de Gailde, mas tinha uma certa pompa. Nas paredes, em vez de quadros, havia enfeites feitos de bambu. E Tibor percebeu que não só os enfeites pendurados eram de bambu, como todo o resto: sofás, mesas e cadeiras.

— Nossa! — comentou ele. — Tudo aqui parece feito de bambu.

Reparou também que na casa não havia nenhuma foto emoldurada, nem TV, nem geladeira.

A casa era térrea e só tinha um quarto, mas nenhuma cama.

— Ai! — exclamou Rurique de um canto da sala, apontando a lanterna para o chão.

— O que foi? — perguntaram Tibor e Sátir ao mesmo tempo, já esperando pelo pior.

— Nada, tropecei num pé de sapato — disse ele, segurando na mão um sapato preto, para o alívio dos dois irmãos. — Mas isso aqui é estranho — completou.

— O que é? — disseram Tibor e Sátir, apreensivos novamente, enquanto iam até onde o amigo estava.

No chão havia um tipo de aparato feito em bambu, que mais parecia uma perna.

— Esse cara era esquisito — constatou Tibor. E os três voltaram a vasculhar a casa.

Abriram o guarda-roupa e ele estava vazio.

— Estou começando a achar que ele não morreu. Foi embora por conta própria e levou as roupas, ou então tinha mania de andar pelado por aí — concluiu Tibor. — Você não se lembra dele, Rurique? Se sumiu há dois anos, deve lembrar.

— Pior que não! Ele não devia dar muito as caras pela vizinhança.

— Estou ficando com sono... — reclamou Sátir. — Talvez seja a hora de ir.

— Concordo — disse Tibor.

— Ei, olhem o que encontrei. Que bizarro! — disse Rurique com um gorro cor de vinho nas mãos.

— Chega, pessoal! A gente não devia ficar fuçando a casa dos outros. Rurique, coloque esse gorro onde encontrou e vamos embora — mandou Sátir.

Rurique ia atender as ordens da irmã de Tibor, quando um barulho estranho saiu de dentro do gorro.

— Ouviram isso?! — perguntou o garoto, paralisado.

Tibor e Sátir adorariam dizer que não, mas era inegável que tinham escutado alguma coisa, só não sabiam identificar o quê. Foi quando ouviram o barulho outra vez. Uma mistura de vozes e sons da floresta saía de dentro do gorro amarrotado e sujo. Ora baixinho, ora bem alto e, então, silêncio total.

Rurique soltou o gorro no chão depressa e afastou-se:

— É, acho que é hora de a gente dar o fora daqui.

Foi então que o inacreditável aconteceu.

O gorro começou a flutuar no ar até ficar a mais de um metro do chão. Escancarou-se e voltou a boca para os três, que não sabiam o que fazer. Então começou a chiar alto e a balançar, e um vento soprou de dentro dele, esvoaçando os cabelos dos garotos.

Eles correram para a janela mais próxima, mas ela parecia estar emperrada. Tentaram outra e mais outra, mas nenhuma delas abriu.

O pânico tomou conta dos meninos. O gorro chiava cada vez mais alto e despejava sua rajada de vento para cima deles. Fugiram, então, para outro cômodo da casa e, antes de fechar a porta, viram que a força do vento era tanta que derrubava as cadeiras e os enfeites das paredes.

Estavam no quarto sem cama. Sátir testou a janela, mas o trinco estava enferrujado e emperrado; e como as outras janelas, essa também não abriu.

— E agora, o que a gente faz? — perguntou Rurique.

— Ah, mas você não é o corajoso aqui? — alfinetou Sátir. — Podia ir lá fora e pedir pra "aquilo"..., seja o que for, parar de soprar em cima da gente.

O garoto fez uma careta e retrucou:

— Pelo que eu saiba, você também não deu o braço a torcer pra admitir que estava com medo antes de chegar aqui, e olha só: somos reféns de uma assombração, ou seja lá o que for, que está soprando atrás desta porta. Duvido que tenha uma explicação lógica para isso, sabichona! — Rurique estava vermelho de raiva. — E agora não vamos sair daqui nunca mais!

Quando Sátir fez menção de responder, Tibor interveio:

— O que há com vocês dois? — gritou ele por sobre o zunido do vento, cada vez mais alto do lado de fora do quarto. — A gente tá em perigo aqui. Precisamos pensar juntos ou não vamos sair desta casa sem sermos soprados por aquele chapéu maluco.

A porta sacudiu e se abriu violentamente. O gorro flutuava no corredor em frente à porta, como se soprasse com a intenção de derrubá-la. Os três pensaram a mesma coisa e ao mesmo tempo: correram para a porta e a forçaram até fechá-la. Por sorte, conseguiram e, enquanto Tibor e Rurique a seguravam, Sátir pegou uma cadeira no quarto para escorar a maçaneta.

Soltaram a porta com cautela e ficaram de olhos e ouvidos atentos. Mas perceberam que a cadeira não seguraria a porta fechada por muito tempo, pois o gorro transformara o vento em vendaval no corredor.

Precisavam de uma alternativa com certa urgência, pois a porta balançava assustadoramente, com as rajadas cada vez mais fortes.

Olharam em volta e só então notaram uma porta fechada num dos cantos do quarto. Rurique a abriu e deram com um banheirinho, para onde todos dispararam, no mesmo instante em que a cadeira e a porta cediam, atiradas na outra extremidade do cômodo, e espatifavam-se na parede.

Fecharam a porta do banheiro, tremendo da cabeça aos pés. A sorte é que havia uma janelinha no alto da parede e perceberam que poderiam sair por ela.

— Tibor, você vai primeiro! — disse Sátir, decidida. — Eu apoio o seu pé pra você subir — falou a menina, estendendo as mãos, com os dedos cruzados. A porta do banheiro começava a zunir e a tremer. — Lá fora, corre o mais rápido que der e não espera a gente. Sobe voando pela estrada até o sítio e pede ajuda pra vó, entendeu? — O semblante responsável da irmã o fez lembrar-se de Hana Lobato, a mãe dos dois.

— Mas e se essa touca voadora derrubar a porta e... — começou ele, quando um BUM o interrompeu.

— Rápido, Tibor! Você precisa correr, Rurique e eu vamos logo atrás de você — prometeu ela.

Uma fresta se abriu na porta, mas Rurique escorou-a com as costas e colocou os pés na parede, usando-a como apoio.

— Vai logo, Tibor! — gritou Rurique.

Tibor não queria deixá-los, mas a irmã praticamente o obrigou com um olhar que não aceitava teimosia. Então não viu alternativa senão pisar nas mãos cruzadas da irmã, que o levantou até o parapeito da janelinha e o empurrou para fora da casa.

Lá fora estava bem escuro e Tibor olhou ao redor, ainda com medo daquela velha estranha estar à espreita, mas tudo o que viu foi um bambuzal de uns seis metros de altura, a uns cinquenta metros de onde estava.

Ouviu o grito da irmã e não teve forças nem coragem para correr e deixá-la para trás, junto com o amigo.

— Sátir! — gritou ele.

A cabeça da irmã apareceu do lado de fora da janela, enquanto Rurique segurava a porta com um pé e ajudava a menina a passar pelo buraco. Assim que ela conseguiu sair da casa, Rurique soltou a porta, escalou a pia do banheiro e saltou pela janela depressa.

— Tá todo mundo bem? — perguntou Sátir. Todos assentiram. — Então vamos embora daqui!

Então correram, escutando o gorro assobiar lá dentro.

Tibor olhou para trás por um breve instante e viu todas as janelas da casa se abrindo quase ao mesmo tempo. Algumas cadeiras foram atiradas para fora, até o sofá da casa foi arremessado para longe. Os meninos subiram a Estrada Velha e, ao fazer a curva, a casa do fazendeiro desaparecido já tinha sumido de vista.

Continuaram correndo, sem dizer palavra alguma. Entraram na estradinha que levava ao sítio de Gailde e passaram pela porteira. A fogueira agora ardia apenas em brasas.

Entraram voando pela porta e a trancaram. Chegando à sala, os três esparramaram-se no tapete.

Depois de um tempo em que só se ouvia a respiração acelerada dos três, Tibor quebrou o silêncio:

— O que era aquilo?

— De qual aquilo você tá falando? Da velha macabra ou do gorro assombrado? — perguntou Rurique.

— Nossa! Meu coração está a mil! — exclamou Sátir, esbaforida.

— O que faria um fantasma destruir sua própria casa? — quis saber Tibor. — Se aquilo que movia o chapéu doido era o tal Pereira, por que ele iria quebrar as portas e jogar tudo o que era seu janela afora? Quero dizer, é a casa dele!

— Talvez aquele não seja o fantasma do fazendeiro — especulou Rurique.

— Que ele queria expulsar a gente de lá, tá claro! Mas o que aquela velha bizarra queria com a gente? — perguntou Tibor.

— Não sei. Talvez nada, mas acho que... — Rurique deixou a frase no ar.

Mais um breve silêncio pairou até que Sátir se pronunciou:

— Acho que a gente não deve dizer nada à nossa avó ou ela vai perder a confiança em nós. Amanhã vamos tentar agir como se nada tivesse acontecido, tudo bem?

— Não sei não... — disse Tibor. — Talvez seja melhor ela saber. Na verdade, acho que isso aumentaria a confiança. Mas é claro que uma boa bronca a gente vai levar.

— A nossa sorte é que já tá aqui e ainda faltam cinco minutos para a meia-noite. O que dizem é que, logo depois da meia-noite, é que o bicho pega — explicou Rurique.

— Talvez a vó até saiba o que é aquele gorro — completou Tibor.
— Eu gostaria de saber o que é. Sabemos que é bem poderoso.

— Ah, isso é! — emendou Sátir. — Espero jamais topar de novo com um gorro que sopra e voa de novo.

Tibor e Sátir conferiram seus celulares, o dele estava sem sinal e o dela já não funcionava mais. Parecia ter um leve cheiro de coisa queimada saindo do telefone.

— Mas que droga! Bom, não tenho muita gente pra ligar mesmo — disse ela, deixando o celular de lado numa mesinha, sob a luz amarelada do abajur.

Rurique fez uma cara de "acredita agora?", que Sátir não pôde fingir não ver.

O sono começou a ultrapassar a adrenalina, então resolveram ir dormir, depois de concordar em não contar nada do que aconteceu naquela noite para Dona Gailde.

Rurique dormiria no quarto de Tibor e, antes de os dois se separarem de Sátir no corredor do primeiro andar, olharam-se e deram risada.

— Bom — comentou Rurique com um olhar travesso —, pelo menos tivemos nossa aventura.

Cada um seguia para o seu quarto, quando o relógio da sala deu doze badaladas, marcando o início da quaresma.

É Tempo De Quaresma

Quarta-feira de cinzas.

O céu estava nublado e uma garoazinha fina caía de leve sobre a Vila do Meio. Gailde estranhou que Tibor, Sátir e Rurique tivessem levantado tão cedo. Preparou o café, enquanto os três cumpriam as tarefas do dia.

Limparam a sujeira que deixaram ao redor da fogueira na noite anterior, depois Tibor encarregou-se da vaca no curral. Sátir e Rurique ficaram com as galinhas. Terminaram as tarefas e tomaram o café da avó, que incluía até queijo com goiabada.

— Que delícia! — disse Tibor ao final de mais uma tigela com a combinação.

Após se retirarem da mesa, foram os quatro para a sala. Dona Gailde sentou-se em sua cadeira de balanço e começou seu rápido tricô. Tibor notou que a avó tricotava uma toalha roxa.

— Vocês sabem que hoje é o primeiro dia da quaresma, certo? — perguntou a avó.

Todos confirmaram com a cabeça.

— Então, espero que se comportem, pois, nesta época, fenômenos que não entendemos bem são mais comuns. — Ela percebeu os olhares sedentos por informação e continuou. — Quando chegaram aqui, no domingo, eu contei a vocês, nesta mesma cadeira, que existiam coisas sem explicação e que teriam de ver para entender. Pois bem, chegou a hora! Serão mais de quarenta dias para essas forças terem oportunidade de se mostrar. E elas vão fazer isso.

— Por que essas tais forças são ruins? — perguntou Tibor.

— Ruins? O que o faz pensar assim? — quis saber Gailde.

Os três garotos entreolharam-se em silêncio e a avó continuou:

— Não sei de onde tirou essa ideia, mas posso assegurar que não são forças ruins. Bem, também não posso dizer que sejam de todo boas. Vamos dizer que exista um equilíbrio. Algumas dessas forças desencadeiam coisas boas. Outras, coisas ruins. E outras ainda, apenas são o que são. — Gailde percebeu os olhares significativos que os garotos trocavam e perguntou: — Vocês, por acaso, presenciaram algum tipo de manifestação ontem à noite?

Todos negaram com a cabeça, mas é claro que isso não convenceu Dona Gailde. Mesmo assim ela apenas sorriu e disse:

— Pois bem. É bom que vejam com os próprios olhos, mas tomem cuidado! Existem forças que praticam o mal também e que, infelizmente, criam asas nesta época. — Os três se arrepiaram da espinha à nuca, mas por sorte a avó logo mudou de assunto. — Rurique, acho bom você ir ver sua mãe hoje.

— Dona Gailde, eu gostaria de saber se eu poderia passar a quaresma aqui, no sítio com vocês. Posso? — perguntou o garoto magricela com um olhar ansioso.

Tibor e Sátir pareceram felizes com a vontade do amigo e também olharam para a avó com um olhar de expectativa.

— Façamos o seguinte: vá até sua casa dizer que está bem e pergunte para a sua mãe se você pode ficar aqui. Se por ela estiver tudo bem, por mim também está.

— Vamos com você! — falou Tibor, todo animado.

Por volta das dez da manhã, os três saíram pela porteira e seguiram pela Estrada Velha rumo à casa de Rurique, que ficava um pouco depois da casa do fazendeiro Pereira. Tremiam só de pensar em passar na frente do sítio, mas o fato de ser dia deu-lhes mais coragem. Ao chegar à frente da casa abandonada, viram que as janelas estavam escancaradas e pedaços de cadeiras e mesas, balaios e enfeites ainda estavam espalhados pela grama ao redor, depois de serem arremessados na noite anterior. Os garotos olharam incrédulos, mas não viram nem sinal do gorro voador.

Tibor encontrou algumas pegadas perto da cerca de arame farpado que haviam cruzado.

— Venham ver só essas pegadas, são enormes! — disse ele.

E realmente eram. Tinham mais que duas vezes o tamanho do pé de um adulto, eram um pouco mais largas e bastante compridas.

— Será que essa é uma pegada daquela velha de ontem? — perguntou Sátir. — Se for, ela deve ter uma dificuldade enorme para comprar sapatos. — Outra vez ninguém riu..

— Vamos logo com isso, quero voltar cedo para o sítio de vocês — disse Rurique, continuando a descer a Estrada Velha.

Ao final da estrada, havia uma curva e, em meio a algumas árvores, uma porteira bem capenga.

— Lar, doce lar! — exclamou Rurique, tirando a corrente que a prendia e abrindo para os amigos passarem.

Era um sítio bem pequeno, onde algumas galinhas cacarejavam pra lá e pra cá. A mãe de Rurique logo apareceu e veio até eles, abraçando o filho tão apertado que Tibor e a irmã tiveram pena das costelas do amigo.

— Olá! — cumprimentou ela. — Vocês são os netos de Gailde, não são? Tibor e Sátir? — Eles assentiram. — Eu sou Dona Eulália, a futura professora de vocês. Vamos entrar?

A casa era pequena. Só tinha dois quartos, uma sala junto com a cozinha e um banheiro. Todos os cômodos tinham tijolos à vista nas paredes.

— Que bom que vieram! Estou preparando um peixe que meu marido pescou ainda esta manhã — disse ela.

Tibor pôde ver o peixe assando no forno à lenha e, com aquele cheiro delicioso, achou impossível recusar o convite.

— Cadê meu pai? — perguntou Rurique.

— Está no banho. Falei pra ele tomar e, apesar de muito protesto, ele foi. Estava cheirando a peixe!

— Ele sempre cheira a peixe, é o cheiro natural dele, mãe.

— Vou ter de achar um sabonete mais potente da próxima vez que for às compras — disse Eulália, mexendo um panelão com arroz.

Rurique mostrou seu quarto para os amigos e mostrou também que tinha certo talento para marcenaria.

— Esta cama e este armário fui eu que fiz! — Depois foi até um baú no canto do quarto e tirou duas espadas de madeira. — Estas espadas também.

Os Lobato adoraram as espadas e foram para fora brincar de lutinha.

Tibor, depois de lutar bastante, parou pra descansar enquanto observava a irmã e o amigo do degrau de entrada da casa. O menino pensava nas coisas que tinham presenciado na noite anterior. *Será que seria assim todos os dias? Se fosse, o que veriam naquele dia?* Sabia que o sítio da avó era perfeito demais para ser verdade, mas, mesmo sabendo das assombrações, não trocaria aquela vida nova por nenhuma outra.

Rurique levou Tibor e Sátir a nocaute todas as vezes.

— Eu pratico com esta espada todo santo dia — avisou o menino com ar de vencedor invicto, recém-saído de um ringue.

— Pratica, é? E com quem? — quis saber Sátir.

— Ora! Sozinho.

— Ei, garotos! — chamou um homem magricela à porta.

— Oi, pai! — cumprimentou Rurique.

— Muito prazer, eu sou Avelino, o pai de Rurique!

Era impossível não saber que eram pai e filho. O pai de Rurique era uma cópia do menino, só que mais alto e de barba.

Todos se cumprimentaram e Avelino avisou-os de que a comida estava na mesa.

Já era pouco mais de meio-dia e o peixe tinha agradado a todos. Os pais de Rurique e os garotos conversaram bastante durante o almoço. Avelino pescava todos os dias pela manhã na Lagoa Cinzenta, no vilarejo do Braço Turvo. Eulália dava aulas para as crianças dos vilarejos vizinhos, em um cômodo em Diniápolis.

— Mas, em tempos de quaresma, eu me retiro. Tenho medo — afirmou ela, fazendo uma careta. Logo após, deu uma pequena fungada no marido para se certificar de que o cheiro de peixe que empesteava a casa toda provinha dos restos da tilápia, e não dele.

A vida por ali não era tão diferente da que tinham no sítio de Gailde. Apesar de a casa ser bem pequena, Tibor e Sátir sentiram-se à vontade. Os pais de Rurique eram muito acolhedores. Avelino e Eulália deviam ter gostado mesmo dos dois irmãos, pois não queriam deixá-los partir.

Rurique perguntou se podia ficar no sítio de Gailde até que passasse a quaresma. Os pais permitiram com a condição de que, ao anoitecer, ele ficasse dentro de casa e de lá não saísse até o dia seguinte. Rurique concordou e foi aprontar sua mochila com algumas roupas. Dona Eulália ainda ressaltou que tal condição servia de conselho aos outros dois também.

— Seus pais são muito legais — disse Tibor, depois de saírem da casa de Rurique, ali pelas duas da tarde. — Gostaria de pescar com seu pai um dia desses.

— É só dizer que ele te leva com prazer.

Ao voltar para o sítio de Gailde, passaram novamente pelo sítio do Pereira, mas não pararam desta vez. Chegaram à porteira de casa e foram direto para o topo da mangueira. Rurique deixou a mochila com suas roupas no chão.

— Nada como uma manga de sobremesa. Ainda mais as da sua avó, que são as mais suculentas de todos os sete vilarejos — disse ele.

Ficaram por um tempo como os pássaros, empoleirados em cima da árvore. Pouco depois, os três ouviram as galinhas cacarejarem, agitadíssimas, no galinheiro.

— Tem algo acontecendo lá — avisou Sátir. — Só falta ser uma assombração.

Os três desceram da árvore para ver o que era. Os cacarejos eram altos e desesperados. Lá chegando, Tibor abriu a porta do galinheiro e de lá de dentro saíram correndo duas galinhas. As outras continuavam cacarejando assustadas.

— O que será que deixou as galinhas agitadas assim? — perguntou Tibor.

— Não sei, mas, o que quer que seja, ainda está por aqui — disse a menina.

Um pequeno leitão rosado apareceu correndo, desorientado, em meio à palha no chão. Era bem gordo e menor que uma galinha. Seu "roinc-roinc" soava alto e agudo.

Tibor e Rurique assustaram-se, mas Sátir conseguiu pegar o porquinho que, após se agitar e sacudir bastante, relaxou e ficou mais calmo.

— Que bonitinho! — exclamou ela. — Será que podemos ficar com ele?

— Acho que não tem problema — disse Rurique. — Mas é bom perguntar para a sua avó.

Os meninos colocaram as duas galinhas fujonas de volta no galinheiro e Sátir foi correndo até a avó perguntar se poderia ficar com o porco.

Gailde segurava a barra da saia enquanto descia as escadas. Ao ver Sátir, perguntou:

— O que aconteceu no galinheiro? Ouvi as galinhas desesperadas.

— Não foi nada de mais, vó — disse a menina com o porco nas mãos. — A não ser por essa coisinha que apareceu lá dentro e deixou todas elas malucas.

— Um leitão desse tamanho, sozinho? — estranhou a avó, examinando o porco. — A mãe desse pobre coitado deve estar procurando por ele.

— Podemos ficar com ele? — pediu Sátir, mas ao ver a expressão de Gailde, completou: — Ele deve estar com fome e, até encontrar a mãe, podia ficar em segurança aqui no sítio.

Gailde apoiou as mãos na cintura e disse:

— Tudo bem! Mas vocês estão imcumbidos de cuidar do pequenino. — Sátir abriu um sorriso enorme e deu um beijo no leitão. Gailde continuou: — Arrumem um lugar pra ele no curral ao lado da Mimosa e cuidem para que não fuja de lá. Um porquinho deste tamanho corre muito perigo, andando sozinho por aí.

Sátir agradeceu e correu para o celeiro com Tibor e Rurique.

— E aí? — quis saber Tibor. — O que ela disse?

— Que ele pode ficar — respondeu ela. — Mas só até encontrarmos a mãe dele.

— Que legal! — exclamou Rurique. — Agora ele precisa de um nome.

Sátir levantou o porco, para olhá-lo de frente.

— Ele tem cara de... não sei! Mas o nariz dele mais parece uma tomada! Podemos começar a pensar por aí.

— Eu colocaria Suíno, afinal de contas, ele é um suíno mesmo, não é? — sugeriu Tibor.

Ficaram um bom tempo escolhendo um nome, até finalmente chegarem à conclusão de que o bicho roncava demais e devia se chamar Roncador.

— É legal, mas ele é tão pequenininho, poderia ser Ronquinho ou Roncadorzinho! — disse Sátir.

— Imagina só quando ele crescer; duvido que vai combinar com um nome que termina com "inho" — falou Rurique, e todos concordaram.

Tiraram um pouco de leite da Mimosa, que ficava na baia ao lado, para alimentar o leitãozinho. Ele estranhou no começo, mas tomou todo o leite. A vaca, muito curiosa, enfiou a cabeça com seus chifres enormes por cima da divisória do estábulo e ficou olhando espantada para aquele ser cor-de-rosa, que roncava o tempo todo. Buscaram um balde com água do poço e despejaram na baia do Roncador, fazendo um chiqueiro improvisado. O porco esbaldou-se, chafurdando alegremente na lama.

O dia foi passando e a garoa que caía se transformou numa chuva torrencial, com raios e relâmpagos. Os três jantaram rápido a macarronada de Gailde, pois perceberam que Roncador estava bem assustado com os trovões. Gritava como um bebê cada vez que um lampejo cortava o céu. Naquela noite, Gailde observou Tibor, Sátir e Rurique, ficou admirada com a atitude deles e resolveu não interferir. Cada um levou um cobertor para o curral e os três passaram a noite lá, com Roncador e Mimosa. Apesar de Mimosa já estar acostumada a chuvas e trovoadas, a presença deles deixou os animais mais calmos.

O dia amanheceu ensolarado e os três acabaram acordando bem depois do cantar do galo, pois haviam dormido muito tarde na noite anterior. O sítio estava cheio de barro, mas o céu estava limpo e sem sinal de chuva.

Gailde levou o café da manhã no curral para as crianças e um pouco de quirera de milho para o porco, que comeu tudo em menos de um minuto. Depois de cumprirem as tarefas matutinas, Rurique foi procurar a mochila com suas roupas e lembrou-se de ter deixado ao pé da mangueira. Estava encharcada, então Gailde ajudou-o a lavar as roupas e colocá-las para secar no varal, perto da horta, atrás da casa.

Soltaram Roncador pelo sítio, que mais parecia uma extensão do lamaçal que tinham feito para ele no curral, e brincaram com o porco pelo resto da manhã e uma parte da tarde.

Os dias iam passando no sítio e as quaresmeiras enfeitavam-se de flores roxas por todo o vilarejo. Quase todas as manhãs, Gailde colocava frutas embaixo da mangueira — abacates, mamões, bananas —, pois ali por perto havia uma família de tucanos que já estava acostumada com essa mordomia e, quando ninguém estava olhando, desciam cinco ou seis deles para fazer sua refeição, sossegados.

— Até que a quaresma não é tão ruim assim. Nada aconteceu até agora — concluiu Tibor, um dia, enquanto ele e Sátir conversavam entre os galhos de uma quaresmeira.

— É, são só boatos que o povo conta mesmo — completou Sátir. — Aquela velha que perseguiu a gente devia ser só uma velha doida e nada mais.

— E o gorro? — perguntou Tibor.

— Não sei e nem quero saber — disse a menina. — Pra falar a verdade, já estou até começando a esquecer aquilo.

Já fazia mais de duas semanas que estavam morando no sítio e tinham se adaptado bem ao lugar. Rurique ia de vez em quando para casa, visitar os pais, mas logo voltava para o sítio, adorando a companhia dos novos amigos.

Tibor e Sátir também apareciam por lá de vez em quando, para almoçar com Avelino e Eulália. Conheceram o Lago Cinzento, em Braço Turvo, num dia em que Tibor foi pescar com Rurique e o pai. Sátir preferiu ficar na casa de Rurique com Roncador. Segundo ela, o porco não gostava de água e ficaria enjoado com o balançar do barco. Já Eulália ficou com os preparativos do almoço.

Foi uma boa pescaria. O pai de Rurique foi o campeão do dia, com um pacu e duas tilápias médias, que por si sós já garantiam o almoço. Mas Rurique agradou quem queria comer um pouco mais, trazendo uma tilápia bem grande, que tinha dado uma trabalheira enorme. Rurique puxou desesperadamente a linha, assim que o peixe mordeu o anzol, e Tibor tentou ajudá-lo. Por muito pouco, o barco não virou, de tanto que chacoalhou.

Tibor, por sua vez, usou todas as iscas que levou, justificando a todo momento que os peixes as roubavam do anzol e fugiam, quando, na verdade, ele não conseguia era prender bem a isca, deixando-a frouxa na ponta do anzol.

Avelino levou um susto danado quando o barco quase virou, mas não se importou nem um pouco. Às gargalhadas, marcou outro dia de pescaria com os meninos.

Rurique levou Tibor e Sátir para visitar Diniápolis. O vilarejo com mais habitantes e, por conta disso, bem diferente dos outros, que, pelo que os irmãos entenderam, só tinham chácaras e sítios.

Diniápolis era uma cidadezinha com ruas de paralelepípedo e pequenas casas, um mercadinho onde podiam comprar refrigerantes, padaria, lojas e, no centro da cidade, uma pracinha, onde comeram pipoca, lado a lado com as pombas ávidas por milho. Num daqueles passeios, levaram Roncador junto, preso por uma coleira que Sátir tinha improvisado.

Todos os olhares na cidade se voltaram para o porco, mas o trio não estava nem aí. Roncador fazia jus ao nome e parecia querer conversar com todo mundo que passava e afagava seu cocoruto cor-de-rosa.

No fim do dia, as crianças e o leitão chegaram supercansados no sítio e pegaram no sono na sala mesmo. Gailde esperou que acordassem para dar uma bronca em todos por deixarem Roncador dormir dentro de casa e eles tiveram que passar o dia seguinte inteiro limpando as pegadas de barro que o bicho havia deixado por toda a sala.

Chegou a semana da lua cheia e eles ouviram uns uivos ao longe. Apesar de Rurique contar suas teorias e histórias sobre um tal lobisomem, nada aconteceu que pudesse provar a existência da criatura.

Tibor e Sátir já nem ligavam para os avisos de todo mundo para tomarem cuidado com a quaresma, e ficavam até tarde do lado de fora da casa, sem que nada de extraordinário acontecesse.

Gailde até chamava a atenção deles, mas não adiantava. No dia seguinte, lá estavam os três de volta, brincando com as espadas de madeira, apostando corrida, brincando de pega-pega, esconde-esconde, amarelinha ou pulando corda. Na maioria das vezes, Roncador também participava, como se fosse uma quarta pessoa, mas com problemas de dicção, pois tudo o que sabia dizer era "roinc-roinc"!

E tudo isso, depois de o sol já ter se retirado para dormir.

Foi numa segunda-feira, dia 15 de março, que algo finalmente aconteceu.

O sol despedia-se do dia, dando espaço para a lua nova. Os grilos e as cigarras começavam sua pontual orquestra, Sátir, depois de ser derrotada por Rurique pela enésima vez no combate de espadas, foi levar Roncador para o chiqueiro enquanto seu irmão buscava uma vitória sobre o amigo, em vão.

Um leitão passou correndo pelas pernas de Tibor e a luta foi paralisada.

—Sátir! O Roncador fugiu do chiqueiro! — E correram para pegar o porco fujão.

— Como assim? — gritou a menina de dentro do curral. — Tô dando leite da Mimosa pra ele nesse momento!

Tibor só acreditou na irmã quando ela saiu do curral com Roncador no colo. O garoto e Rurique pararam de tentar pegar o outro porco e olharam na direção que ouviam outros roncos. Mais dois leitões pequeninos apareceram do outro lado da cerca do sítio.

Gailde ouviu o barulho lá da varanda. Os três foram até ela e todos observaram quando mais um porquinho entrava por debaixo da porteira e juntava-se à correria desenfreada. Depois de um minuto, havia sete leitões no sítio, contando com Roncador nos braços de Sátir.

Foi nesse momento que ouviram um ronco alto e grave entre as árvores do lado direito do sítio. Os quatro viraram a cabeça na direção do ronco aterrador e viram os seis porquinhos correndo para perto de uma enorme porca, que estava na sombra de duas árvores.

Os leitõezinhos aninharam-se ao redor das pernas da mãe, que tinha duas vezes o tamanho de um porco normal. A porca olhou para os quatro e soltou um ronco mais alto e mais forte, como se esperasse com impaciência que fizessem alguma coisa.

— Acho que é hora de dizer adeus ao pequeno Roncador, Sátir — disse Gailde, pousando as mãos nos ombros da garota. — Saiba que ele estará mais seguro com a sua mãe de verdade.

A menina sabia que tinha de se despedir do porquinho, mas uma lágrima desceu de seus olhos pesarosos. Ela deu um beijo no leitão, Tibor e Rurique acariciaram a barriga do bicho uma última vez e Sátir o colocou no chão. Roncador correu para a porca gigante, que o recebeu com fungadas pelo corpo todo.

— Ele vai ficar bem, você sabe disso. É a mãe dele — garantiu Tibor, confortando a irmã.

Ela ficou olhando quando a porca virou-se e foi embora, sumindo na escuridão da mata.

— Adeus, Roncador! — despediu-se Sátir.

— A porca dos sete leitões! — exclamou Dona Gailde.

— O que disse, vó? — perguntou Tibor.

— Aquela não é uma porca qualquer. Nunca ouviram falar da porca dos sete leitões? — Os três fizeram que não com a cabeça. — É uma lenda que as pessoas contam, sobre uma mãe que foi transformada em porca por um feiticeiro. Ela corre pela mata em busca de seus sete filhos, que também foram transformados em leitões. Essa é uma das forças de que falei, que não é boa nem ruim, apenas existe — disse ela, com os olhos voltados para onde a porca estava segundos antes. — A quaresma é a época de aparições como essa que acabaram de presenciar. — Um silêncio pairou, enquanto Sátir enxugou uma lágrima. — Vamos entrar, pessoal. Vou fazer um chocolate quente pra vocês.

Os quatro já subiam o último degrau, quando um galho no meio do mato estalou, chamando a atenção de Sátir. O que ela viu, deixou-a chocada. Uns meninos esquisitos entravam no meio do mato, no mesmo lugar em que a porca havia acabado de entrar.

— Eles vão caçar a porca! — gritou ela, correndo em direção à mata.

Tibor e Rurique foram correndo atrás dela.

— Ei, vocês três. Voltem aqui! — gritou a avó. — Está anoitecendo, não é seguro entrar na mata na época da quaresma!

Mas já era tarde demais. Tibor e Rurique gritavam por Sátir, que se embrenhou na mata, para salvar Roncador e sua família.

5

PERDIDOS NA MATA

Tibor e Rurique correram atrás de Sátir, desesperada, embrenhando-se cada vez mais na mata. Tibor percebeu que havia algo errado, quando viu crianças correndo ao lado dele e de Rurique.

Quando se deram conta de que Sátir estava quase desaparecendo à frente, de tão rápido que ia, eles correram ainda mais.

— Sátir, espere! — gritou Rurique.

Encontraram a menina ofegante, parada numa clareira.

— Sátir? Está tudo bem? — perguntou o irmão, preocupado.

Vendo que ela olhava fixamente numa direção, Tibor voltou os olhos para o mesmo lugar.

Ali estava a porca e seus leitões, encarando Sátir. Assim ficaram por um bom tempo, quando a porca começou a brilhar com uma luz dourada que encheu toda a clareira. Depois de alguns segundos, quando o brilho se extinguiu, a porca e os filhotes haviam sumido.

— Pra onde ela foi? — perguntou Sátir.

— Ora, não ouviram Dona Gailde dizer? — começou Rurique. — Essa porca não é uma porca comum, ela sabe se cuidar, ninguém consegue caçar um bicho desses.

Sátir procurou por todos os lados.

— Vamos voltar para o sítio — disse Tibor.

Começaram então o caminho de volta, vez ou outra em dúvida quanto à direção certa. Procurar suas próprias pegadas no escuro não era uma opção.

— Onde estão as pessoas que estavam correndo atrás da porca? — perguntou Rurique. — Será que foram embora? E tão rápido assim?

— Acho que não — falou Tibor baixinho, olhando de canto toda vez que parecia ter escutado algo. — Sinto que estamos sendo observados. Acho que a porca não era o alvo deles.

— O que quer dizer com isso? — perguntou o amigo.

— Ei! — gritou Sátir, assustando a todos e olhando para um ponto da floresta.

— O que foi, maninha? Está gritando pra quem? — perguntou Tibor.

— Eu vi um garoto ali — disse ela, apontando para uma árvore à frente. — Talvez ele possa nos dizer como voltar ao sítio.

Ao chegarem à árvore apontada, não havia sinal de garoto nenhum.

— Que estranho! — disse a garota. — Por que alguém agiria dessa forma?

Os três se entreolharam, esperando que um deles pudesse responder, mas ninguém disse nada. Rurique fez cara de quem achava que a menina estava imaginando coisas, pois preferia pensar assim para não ficar com medo, mas Tibor sabia que a irmã tinha mesmo visto algo.

Assustaram-se ao ouvir passos correndo apressados pela direita, mas não enxergavam nada com aquela escuridão.

— Bom, acho melhor a gente continuar andando, tenho quase certeza de que viemos daquele lado — afirmou Rurique.

Foi o que fizeram. Sátir foi na frente, abrindo passagem, Tibor logo atrás e Rurique no fim da fila.

— Fui uma besta quadrada, correndo atrás daquela porca. Fiquei com medo que machucassem o Roncador — falou Sátir, desabafando, enquanto afastava alguns galhos que impediam a passagem.

— Não pode se culpar — disse Tibor. — A gente ia fazer a mesma coisa.

— Não só ia, como fez. E olha onde a gente veio parar — disse Rurique, parando e colocando as mãos na cintura. — Ei, pessoal, tenho a leve impressão de que viemos daquele lado ali, acho que me lembro daquela árvore com o tronco arranhado.

— Se essa floresta fica no meio dos vilarejos — começou Tibor —, se seguirmos em linha reta, não importa em que direção, com certeza vamos chegar a algum lugar.

Todos concordaram com o raciocínio. Andaram em linha reta pelo que pareceram horas e nem sinal de vilarejo nenhum. Começaram então a duvidar de que aquela era a melhor maneira de sair dali, já que não sabiam qual era a extensão da floresta.

Só para piorar, ouviam de vez em quando uma risada de criança ao longe, o que causava arrepios nos três.

— Droga! Se pelo menos tivéssemos uma lanterna... — reclamou Rurique, tentando enxergar algo na escuridão ao redor.

Sátir de repente fez sinal para que ficassem quietos e apontou numa direção. Havia um menino, com roupas sujas e rasgadas, andando pela mata.

— Talvez, seguindo esse menino, a gente consiga chegar a algum lugar — sussurrou ela.

Era a única ideia que tinham e não era de toda má, afinal não sabiam em que direção ficava o sítio da avó, estava escuro e em tempo de quaresma. Se o menino andava tranquilo por ali, é porque devia morar por perto ou sabia sair daquela mata. Tinham de decidir o que fazer e então fazer depressa, se quisessem chegar a algum lugar seguro.

Seguiram então o garoto de roupas surradas por uns quinze minutos, sem fazer barulho, para que ele não percebesse. Mas, então, depois de virar atrás de uma árvore, o menino desapareceu.

— Porcaria! — xingou Tibor. — Para onde ele foi?

Ficaram olhando ao redor, procurando pelo garoto.

— Ali está ele! — disse Rurique por fim, apontando para um lado.

— Aquele ali não parece o mesmo garoto — concluiu Tibor.

— Acho que é o mesmo, sim — discordou Sátir. — Vamos!

Então voltaram a seguir o garoto, que andava à frente deles, impedindo que vissem o seu rosto. E assim foi quase a noite toda. Seguiam o garoto que, depois de um tempo, sumia e reaparecia em outro lugar, e eles tornavam a segui-lo até ele desaparecer novamente. Chegaram à conclusão de que estavam andando em círculos pela mata, pois Rurique encontrou a árvore de tronco arranhado outra vez.

— Não vamos sair daqui desse jeito nunca! — disse Tibor, sentando-se num tronco derrubado, quando perderam o garoto de vista outra vez.

Rurique também se sentou e resmungou:

— A gente tá ferrado. Perdidos no meio do mato. E na quaresma.

— Ah, parem de reclamar, vocês dois! — disse Sátir. — Não sei como tirar a gente daqui, mas a situação não está tão mal assim, está?

— Como poderia estar pior? — perguntou Tibor.

— Ora, apesar de perdidos, nada aconteceu com a gente, estamos bem... Ei! — ela exclamou, como se tivesse uma ideia. — Podemos passar a noite aqui e amanhã, com a luz do sol, achamos o caminho de volta para o sítio.

— Simples assim? — perguntou Rurique com cinismo.

— É! — respondeu ela, sentando-se ao lado do irmão. — Alguma ideia melhor?

Ninguém respondeu.

Se ajeitaram por ali. Para forrar o estômago, conseguiram algumas bananas e umas frutas amarelas de uma árvore que, depois descobriram, era um bacurizeiro. Os bacuris tinham uma polpa carnuda de sabor agridoce. Lembrava um pouco a baunilha. Gostaram tanto que acabaram com um cacho inteiro.

Por insistência de Rurique, combinaram de fazer vigília noturna. Um ficaria de olho na mata, enquanto os outros dois dormiriam.

— Não acho que seja necessário — disse Sátir.

— Ah, se está querendo ser devorada por uma onça-pintada, por mim tudo bem — rebateu Rurique, contrariado.

— Parem de brigar, vocês dois! Já estamos numa situação difícil aqui, não precisamos de uma briga — reclamou Tibor. — Eu faço o primeiro turno.

— Não, vá dormir. Deixa que eu fico de olho na tal onça — falou Sátir. — Se é que existe mesmo uma nessa floresta...

E assim foi.

Rurique não se ofereceu para ficar acordado porque estava realmente cansado. Sátir ficou com o primeiro turno da vigília, enquanto Tibor e o amigo acomodaram-se sob a árvore mais próxima e caíram no sono.

Tibor começou a ter o pesadelo que mais odiava: a morte dos pais. Era como se revivesse a cena de dois anos antes. Tinha a mesma sensação de pânico, sentia até mesmo o calor das chamas que tinham levado Hana e Leonel para longe dele e da irmã, e mais uma vez via a parede de chamas queimando e destruindo tudo ao redor.

Acordou encharcado de suor e viu Sátir deitada a seu lado, de olhos fechados e respiração pesada. Imaginou a raiva que Rurique ficaria dela se a pegasse dormindo, no meio do seu turno de vigília, e resolveu assumir o turno dali em diante, já que não conseguiria mais dormir mesmo, por conta do pesadelo.

Tibor olhava ao redor, tentando tirar a morte dos pais da cabeça, mas era difícil, pois, mesmo passados dois anos, duvidava que um dia deixasse de sentir tristeza. A saudade do sorriso do pai e do carinho da mãe apertava com força o seu peito, a ponto de fazê-lo se sentir sufocado. Resolveu se levantar e dar uma volta.

As árvores eram bem altas e, como era lua nova, a floresta ficava um breu profundo. Se apertasse os olhos poderia enxergar um pouco mais à frente, mas mesmo assim seria quase impossível seguir uma trilha. A ideia da irmã de parar para descansar e continuar no dia seguinte de fato era a mais sensata. *Se ao menos tivesse herdado o senso de direção dos pais...*

Tibor lembrou-se de quantas vezes os pais tinham se embrenhado na mata e saído com a facilidade de um cão farejador. Nunca tinha dado muita importância ao fato e só agora é que começava a admirar a habilidade deles.

Tibor então imaginou se tinham sentido dor no momento da morte e torceu para que não. Só de pensar na possibilidade de que a resposta fosse sim, seus olhos já ficavam marejados. Essa certamente era a razão de ele temer tanto o fogo.

O garoto olhou para cima, para uma brecha entre os galhos de um bacurizeiro, por onde podia ver um pedacinho do céu, e disse baixinho:

— Pai. Mãe. Sinto falta de vocês. — Então fez uma pausa longa e continuou: — Queria que estivessem aqui com a gente. — Enxugou as lágrimas e voltou para perto da árvore onde os outros dormiam.

O amigo Rurique babava, Sátir ressonava e os dois dormiam tranquilos, sem a preocupação de estarem perdidos no meio da mata. O garoto sentou-se com as costas apoiadas numa árvore e apertou os joelhos contra o peito. Olhou para o escuro e percebeu o silêncio. Parecia que nada se movia num raio de quilômetros.

Pensou nos garotos que seguiram Roncador e sua família e nas risadas de crianças que os haviam seguido por todo o percurso até ali. Desde quando tinham corrido atrás de Sátir, Tibor teve a impressão de que os garotos não estavam ali por causa dos leitões. Quando pensou no moleque de roupas surradas que sumia e reaparecia, suspeitou que o plano das crianças misteriosas fosse exatamente tirá-los do sítio e fazer com que ficassem perdidos na mata. *Mas para quê? Qual seria o propósito deles ao fazê-los se perder na floresta?*

Foi aí que escutou um barulho, vindo de trás das árvores, e viu uma sombra se aproximando, sorrateira. Percebeu que era o menino de roupas rasgadas e sujas. Ele parou num certo ponto, a uns dez metros, e ficou encarando Tibor. Então silhuetas fantasmagóricas de outros começaram a aparecer, meninos e meninas, aparentando idades diferentes. Tibor reparou que uma das crianças carregava um bebê no colo.

— O que vocês querem com a gente? — gritou Tibor, levantando-se, sua voz ecoando entre as árvores.

Ninguém respondeu e Rurique e Sátir não acordaram. Tibor percebeu que, apesar do medo, sentia um pouco de pena deles. Mesmo no escuro, via que alguns tinham um olhar triste e profundo.

— Esse era o plano, não era? — continuou Tibor, encarando todos eles ao mesmo tempo. — Confundir a gente pra que ficássemos perdidos nessa mata. — Foi aí que Tibor sentiu seu estômago gelar. Percebeu que os meninos agora estavam em círculo ao redor deles, mantendo-os cercados.

Sem conseguir pensar no que fazer, Tibor só os encarou, tentando não demonstrar medo.

Um dos meninos olhou para outro que, com um sinal de cabeça, pegou um enorme saco e andou na direção de Rurique.

— O que vai fazer? — gritou Tibor, entrando na frente do estranho, que tentou se desviar sem lhe dar atenção.

Tibor perguntou mais uma vez, mas o garoto avançou como se não tivesse ninguém barrando o seu caminho. Então Tibor deu um empurrão no peito do menino.

— Ei! Estou falando com você! — exclamou ele, enquanto o menino de rosto pálido encarava-o com uma expressão vazia.

O menino empurrou-o de volta, fazendo-o cair no chão, assustado com a força do empurrão. Enquanto isso outro menino ia até Sátir com outro saco nas mãos e uma menina agora vinha em sua própria direção. Não era difícil prever que algo ruim iria acontecer.

— SÁTIR! RURIQUE! ACORDEM! — gritou Tibor.

Os dois acordaram assustados e viram os meninos estranhos junto deles. Os três debateram-se e lutaram com os meninos, que tentavam enfiá-los nos sacos. Tibor deu um chute na menina que lutava com ele, pegou um pedaço de pau e acertou a cabeça do garoto que prendia os braços da irmã. Os dois irmãos então lutaram com o terceiro, que tinha prendido Rurique, e desamarraram o saco, tirando o amigo de dentro. Os três ficaram de costas uns para os outros no centro do cerco de meninos.

Os três encararam as vinte e tantas crianças de rostos pálidos, que retribuíam o olhar em silêncio. Tibor então sussurrou para a irmã e o amigo:

— Não temos chance contra eles, a gente precisa correr daqui!

— Não sei se você percebeu, Tibor, mas estamos cercados. — ressaltou Rurique, num sussurro.

— Não se a gente mirar um deles e correr em sua direção — sugeriu Sátir. — Serão três contra um. Conseguimos furar o cerco e aí corremos sem parar.

— Tá bom, mas qual deles? — perguntou Tibor.

— Vocês são loucos?! — gemeu Rurique, incrédulo.

— Aquele magricela baixinho, perto da árvore mais grossa, à direita — indicou a menina, decidida.

— Vamos ser massacrados! — gemeu mais uma vez Rurique.

— No três? — perguntou Tibor.

— Um... — começou Sátir.

— Não! Esperem, deve ter outra solução... — Rurique estava desesperado.

— Dois...

— Espera aí, por favor! E se não der certo?!

— TRÊS! — gritou Sátir e os três partiram na direção do menino magrelo.

Sátir e Tibor passaram pelo cerco sem problemas, mas Rurique bateu de frente com o garoto.

— AAH! — gritou Rurique, caindo no chão, dentro do círculo de meninos.

Os irmãos voltaram, na mesma hora, para ajudar. Tibor derrubou dois com um porrete, enquanto Sátir levantava Rurique do chão. O cerco inteiro, agora, corria para cima deles.

Os três puseram-se a correr também, só que como nunca na vida. Era uma escuridão profunda. Só conseguiam desviar de alguma árvore quando já estavam prestes a bater com o nariz nela. Os passos apressados de dezenas de pés perseguiam-nos por toda a mata, enquanto Tibor, Sátir e Rurique tentavam não se distanciar um do outro.

— Estou ouvindo algo ali na frente! — anunciou Tibor.

— Eu também! Parece barulho de água — disse Sátir, aos berros.

— Deve ter uma cachoeira ou um rio em algum lugar por aqui — concluiu Tibor.

Rurique só corria calado, enquanto Tibor ouvia os joelhos trêmulos do amigo estalando a seu lado.

Os passos rápidos pareciam cercá-los pelas laterais, mas não ouviam nenhuma voz. Tibor sabia que não eram crianças normais, mas o fato de não emitirem nenhum som as deixava mais macabras ainda.

— Continuem correndo! Parece que estamos chegando — gritou ele para os outros.

À frente, puderam ver um riacho, que corria rápido e barulhento. Os três entraram sem pensar duas vezes, espirrando água para todos os lados.

— Vamos tentar atravessar! — gritou Sátir.

Mas, à medida que andaram para dentro da água, os três deixaram de sentir o fundo do riacho. Não tinham imaginado que ele pudesse ser tão fundo, a ponto de não dar pé. Então passaram a ser arrastados pela correnteza.

— Nadem! Tentem chegar do outro lado! — desesperou-se Sátir.

Tibor percebeu que as crianças que os seguiam estavam paradas na beira do rio e apenas observavam seus esforços para lutar contra a correnteza. Dentro d'água, sentiu o rio levá-los por uma curva mais à frente e viu que as crianças misteriosas, enfim, tinham ficado para trás.

— Olha, um galho! — avisou Tibor. Os outros também viram um galho grosso, que se estendia de uma árvore até a água, como se fosse um braço enorme de madeira. — Agarra em mim que eu vou tentar me segurar no galho.

Tibor praticamente abraçou o galho ao passar por ele e Rurique grudou em Tibor logo na sequência. Sátir tentou se agarrar ao irmão e não conseguiu, mas Rurique ainda teve tempo de segurar a mão da menina e puxá-la contra a corrente.

Os três tentavam encontrar uma forma de subir no galho para chegar até a margem, mas a água parecia não querer colaborar. Numa das tentativas, Tibor conseguiu encontrar um lugar para apoiar o pé e estava quase tirando o corpo inteiro da água quando o grande galho se quebrou e deixou-os, novamente, à mercê da força do rio.

Os meninos olharam-se, desanimados, e tentaram lutar contra a correnteza. Tibor de repente notou uma queda d'água à frente e a única coisa que conseguiu dizer antes de chegarem lá foi:

— Se prepara, pessoal!

Uma confusão de bolhas os engolfou e tudo se apagou quando Tibor bateu com a cabeça numa pedra, no fundo do rio.

O menino não sentiu, nem ouviu mais nada.

6

A BRUXA DESAPARECIDA

O sol estava alto, mas escondia-se atrás das nuvens, que estavam com cara de que trariam chuva mais tarde. Foi o que Tibor constatou ao abrir os olhos. Sua cabeça girava e, ao tentar se levantar, uma pontada anuviou todo o seu cérebro. Achou melhor continuar deitado onde estava.

Como saí da água? O que aconteceu com Rurique e minha irmã? Será que aquelas crianças estranhas conseguiram nos pegar?

Isso era o que se passava na cabeça de Tibor entre uma pontada e outra. Ele ainda ouvia barulho de água. Pôs as mãos na barriga e sentiu as roupas secas. O canto dos pássaros serviu de fundo enquanto Tibor tentava reorganizar os pensamentos. Percebeu vozes ao redor e ficou com medo de que o pior tivesse mesmo acontecido.

— Vejam, ele acordou! — disse uma voz de adulto que Tibor não reconheceu. Ele tentou se virar para olhar, mas não conseguiu, por conta da dor absurda na cabeça.

Um rosto barbado e ruivo apareceu em seu campo de visão.

— Você está bem, garoto? — perguntou o rosto desconhecido. — O que está sentindo?

Tibor tentou formular uma pergunta inteligente, mas seus instintos falaram primeiro:

— Onde estão Sátir e Rurique?

— Relaxe, garoto! — disse o rosto com uma risada que parecia de alívio. O homem se virou para trás como se conversasse com alguém e disse: — Ei, pessoal, ele está bem! Está consciente. — Depois o homem se voltou novamente para Tibor. — Eu sou João Málabu. Sua irmã e seu amigo estão bem. Eu mesmo os tirei da água. Dona Gailde pediu que eu encontrasse vocês e os levasse a salvo para o sítio.

Tibor ficou mais tranquilo ao se lembrar de que tinha mesmo um tal de "João alguma coisa" que tomava conta de um sítio nas proximidades.

— O que aconteceu comigo? — perguntou Tibor.

— Você bateu a cabeça com força, numa pedra, talvez, e acabou desmaiando — disse Málabu, ajudando o garoto a se sentar. — Teve sorte, o corte é superficial. Fiz um curativo improvisado que vai ajudar até voltarmos para o sítio. — Tibor viu Sátir e Rurique em pé ao seu lado. — Traga aquela mochila, Rurique! — pediu Málabu.

A mochila estava cheia de frutas frescas.

— Coma! Vai lhe fazer bem — disse o homem ruivo, estendendo para Tibor uma fruta estranha, de casca esverdeada e rugosa.

— O que é isso?

— Chama-se araticum. Uma fruta típica da região — disse Málabu. — Coma!

Ele abriu a fruta e Tibor viu que, por dentro, ela era amarelada. Enfiou um pedaço na boca e achou a fruta mais gostosa do mundo. Jogou o caroço fora e continuou comendo em silêncio, até devorar o último pedaço. Sua cabeça estava melhorando, apesar de ainda doer bastante.

— Fiquei bem preocupada, maninho — disse Sátir, sentando-se ao lado dele. — Você ficou desmaiado por mais de doze horas.

— Doze horas! — repetiu Tibor embasbacado. — Puxa, deve ter sido uma pancada e tanto.

— É, e foi! — confirmou ela, desviando seus olhos verde-broto para o topo da cabeça dele, com cara de preocupação.

Tibor levou as mãos à cabeça e percebeu que ela estava enrolada num pano que protegia o machucado.

Rurique ajudou João Málabu a fazer uma fogueira. Logo à frente, um riozinho descia manso em seu leito.

— Nem parece o mesmo rio, não é mesmo? — comentou Tibor, puxando conversa.

— É verdade — disse a irmã. — Pelo que vi, pouco depois da cachoeira ele fica manso. Nós demos o azar de entrar nele onde a correnteza é mais forte.

— O que aconteceu depois que eu apaguei? — perguntou ele.

— Eu vi sangue na água e fiquei desesperada, quando percebi que você estava mole e boiando daquele jeito. Foi muito difícil, mas consegui nadar até você e te prender às minhas costas. Eu me perdi de Rurique, que foi levado pelas corredeiras bem mais à frente. — Ela fez uma pausa e olhou para as montanhas do vale que se estendia à frente. — Quando o dia começou a clarear, depois de ficar um tempão seguindo o curso do rio, ouvi uma voz chamando meu nome e vi João encharcado, deixando Rurique na margem e voltando para a água para pegar a gente. Foi muita sorte, eu já não tinha mais forças para nadar e já tinha engolido muita água. — Ela olhou para Málabu. — Ele parece gente boa, nos deu comida e cuidou da sua cabeça. Parece que foi mesmo nossa avó quem o mandou aqui. Ele disse que deve muito a ela. A ela e à nossa família. Só não sei ainda por quê.

Tibor notou que a superfície lisa da água tinha encrespado com gotas de chuva. Estavam numa parte particularmente bonita da floresta. E estavam gratos pelo fato de poderem ver o céu novamente, sem se sentirem sufocados pelas árvores.

— Escutem bem o plano que iremos seguir — começou Málabu. — Tibor está fraco, é melhor não arriscarmos fazer a caminhada de volta ao sítio agora, apesar de não ser muito longe. Daqui a duas horas, vai escurecer — disse ele, olhando para cima. — Acho que este é um lugar seguro para passarmos a noite. Rurique está ajudando com a fogueira que nos manterá aquecidos, eu tenho um pedaço de lona que nos protegerá da chuva e... — disse, apontando para o rio — ... temos um grande aliado contra a sede aqui ao lado. Minha mochila está cheia de frutas e alguns pedaços de bolo que Dona Gailde me fez trazer. Disse que se sentiriam mais próximos de casa.

Rurique esboçou um sorrisinho alegre.

— E aquelas estranhas crianças que tentaram raptar a gente? — perguntou Tibor. — Tem alguma coisa nessa mochila que possa nos defender delas? — O próprio Tibor achou que estava sendo um pouco arrogante com o homem que salvou suas vidas, mas a dor era tamanha em sua cabeça que achou que Málabu iria entender e deixar passar.

— Quanto a isso, eu posso dar um jeito — disse João Málabu.

Foi só então que Tibor se deu conta do tamanho do homem e que existia uma grande probabilidade de não serem mesmo incomodados pelas crianças medonhas que tinham tentado raptá-los com sacos de batatas.

Mais tarde, a chuva passou e recomeçou duas vezes. Toda vez que ela recomeçava, baixavam a lona e aproximavam-se da fogueira, que aguentou acesa, apesar de toda a água que caiu perto dela. Todos já estavam bem alimentados. Tibor, apesar de ainda sentir dores de cabeça, já arriscava alguns passos até o riacho para matar a sede. João Málabu contou a eles que aquele riacho nascia fora dos limites dos vilarejos e, depois de cortar a Vila do Meio e a Vila Serena, desembocava numa lagoa parecida com a Lagoa Cinzenta, também no Vilarejo de Braço Turvo. A diferença entre as duas era que na Lagoa Cinzenta não desembocava nenhum rio. Nesse momento, Tibor soltou um risinho baixo ao se lembrar do dia em que tinham pescado com o pai de Rurique e quase viraram seu barco.

Málabu também contou que trabalhava como caseiro do sítio da família Bronze. Seus patrões moravam na cidade e vinham uma ou duas vezes por ano passar uns dias na casa. O sítio da família Bronze também ficava na Vila do Meio, pouco depois do sítio do desaparecido Pereira.

As crianças contaram, então, tudo que tinha acontecido com os três desde que haviam se distanciado do sítio, mencionando a porca, Roncador e as crianças pálidas e bizarras.

— João Málabu? — chamou Rurique, alimentando o fogo com alguns galhos secos que havia protegido da chuva, embaixo da lona.

— Sim?

— Você, por acaso, sabe o que eram aquelas crianças e o que elas queriam com a gente?

— Tenho uma ideia do que sejam, sim, mas é só uma suposição. Duvido que seja verdade. — Ao perceber que os três o observavam em silêncio, emendou: — Talvez eu não seja a pessoa mais indicada para contar essas coisas para vocês — respondeu ele, sério.

— Ou talvez seja, sim, a pessoa certa, já que estamos no meio do mato e não temos nada pra fazer — disse Sátir direta, como sempre.

João Málabu pensou um pouco. Nas suas feições de uns quarenta e tantos anos, via-se um quê de preocupação. Seus olhos tinham olheiras profundas e sua pele era marcada por dezenas de arranhões cicatrizados.

— Está bem, mas não sei a história completa e muito do que vou contar diz respeito à família de vocês dois — disse ele num tom grave, apontando para os dois irmãos Lobato.

Tibor e Sátir entreolharam-se espantados.

— Como assim? — quis saber Tibor.

— Houve um tempo em que todas as vilas eram uma só cidade, um...

— ... prefeito maluco dividiu-a em sete vilas sem motivo. É, Rurique já nos colocou a par dessa história — completou Tibor. — Só não entendo o que isso tem a ver comigo e com a minha irmã. — O menino achou que estava adquirindo o hábito de ser direto e arrogante, assim como a irmã de vez em quando. Perguntou-se até se ela sofria de dores de cabeça, pois as dores na sua é que o estavam levando a falar daquele jeito.

Málabu fitou-o de uma maneira que Tibor não soube interpretar e o menino achou melhor não o interromper mais.

O homem de barba e cabelos ruivos deu um suspiro profundo e continuou:

— Já que parecem bem sabichões a respeito da história, vou contar algo que não sabem e é isso que tem a ver com vocês — disse Málabu. — Há muito tempo, pelas redondezas, viveu uma bruxa. — Sátir se ajeitou melhor no lugar, preparando-se para ouvir a história. Como tinha presenciado muita coisa realmente estranha nos últimos dias, resolveu não dar uma de corajosa como naquele dia em que Rurique tinha contado suas histórias de assombração, e manteve-se bem quieta em seu lugar. — Era uma velha asquerosa, com o rosto enrugado e olhos negros. Alguns diziam que lembrava muito um jacaré, por causa das rugas que a deixavam medonha. Ela fazia muitas coisas ruins na cidade, depois que... — Málabu parou, como se escutasse algo na mata atrás deles.

Todos ficaram em silêncio e apuraram os ouvidos.

— Dizem que, quando falamos sobre assombrações, atraímos coisas ruins para perto da gente — sussurrou Rurique, que também tinha ouvido alguma coisa.

Málabu olhou para ele sem discordar e continuou:

— Pois bem, a cidade então foi dividida em sete vilarejos e a bruxa não deu trégua a nenhum deles.

— Que tipo de coisas acontecia por aqui? — perguntou Tibor.

— Plantações apodreciam misteriosamente; galinheiros, celeiros e currais eram devastados; casas iam abaixo, pessoas sumiam, fora os envenenamentos. Muita gente adoecia e acabava morrendo, e tudo isso se intensificava na época da quaresma. — Málabu fez uma pausa e remexeu a lenha na fogueira, atiçando o fogo. A madrugada prometia ser bem fria. — Isso é o que o povo diz, mas pode ser tudo mera coincidência. Certo dia, um grupo de umas quarenta pessoas, vítimas diretas ou indiretas de tudo de ruim que acometia os vilarejos, reuniu-se em Diniápolis para encontrar uma solução. Ligando os fatos, chegaram à conclusão de que era tudo culpa da tal bruxa, que, pelo que diziam, morava na Grande Floresta, que por acaso é esta floresta em que estamos agora.

Um arrepio subiu pela espinha de Tibor e, pelo jeito como Sátir e Rurique se mexeram, deviam estar sentindo a mesma coisa. Málabu continuou:

— Munidas de tochas, enxadas, machados, carabinas e pistolas, essas pessoas se reuniram e partiram, numa das noites da quaresma, para a suposta morada da bruxa. Andaram algumas horas pela Estrada Velha e chegaram à margem desta floresta aqui. Dizem que alguns poucos desistiram ao chegar neste lugar, mas a grande maioria se embrenhou na mata, querendo dar um fim nas maldições da bruxa. — João Málabu olhou para o mesmo lado de onde o barulho tinha vindo e Tibor fez o mesmo, mas não viu nem ouviu nada. — Andaram por um bom tempo pela mata e o que encontraram foi um velho moinho de um fazendeiro que tinha ido à falência e morrido de depressão. Como ele não tinha descendentes que herdassem seus bens e diziam que a bruxa rondava por ali, o moinho ficou abandonado e está assim até hoje, em algum lugar aqui nesta mata.

— Acharam a tal bruxa? — quis saber Tibor.

Málabu coçou a cabeça antes de continuar.

— Não encontraram nada e o moinho estava realmente abandonado, mas algo de ruim ocorreu naquela noite.

Tibor, Sátir e Rurique estavam vidrados na história e, como estavam ali, naquela mesma mata, um medo paralisante os rondava.

— Todas as pessoas voltaram para casa naquela noite, ainda ansiando pela tão esperada vingança, mas, ao chegarem, tiveram a maior e pior das surpresas. Seus filhos e filhas, adolescentes ou crianças, haviam sumido. Não estavam em suas camas, onde deveriam estar. — Os três ficaram chocados, e Sátir levou as mãos à boca enquanto Málabu continuava. — Era o preço por mexerem com algo tão poderoso e maligno. Não se brinca com esse tipo de coisa! Naquela noite, o caos espalhou-se pelos sete vilarejos. As buscas foram incessantes pelas semanas seguintes, mas nenhum rastro das crianças foi encontrado. — Málabu encarou-os por um tempo, fazendo suspense. — Mas algo ainda estava para acontecer.

Menos de um mês depois, algumas pessoas disseram ter presenciado uma briga muito estranha na mata da Vila Guará, que é o maior dos vilarejos. Diziam que a briga era entre a bruxa e um ser fantástico. Daqueles considerados mito e cuja lenda se conta em todos os lugares, passando de geração em geração.

— Qual era o nome dele? — quis saber Tibor.

— Não sei ao certo o nome, mas sei que era um sujeito bastante corajoso para enfrentar a tal bruxa sozinho — disse João, ajeitando-se no tronco onde estava sentado. Os três concordaram com a cabeça. — Não sei muito bem o que aconteceu nessa briga, ouvi a história de diversas maneiras e uma versão bem diferente da outra. A única coisa que sei é que esse ser fez justiça pelo povo dos vilarejos. Não pôde trazer as crianças de volta, o que foi muito triste para todo o povoado, mas depois dessa briga a bruxa desapareceu e nunca mais foi vista.

— Quanto tempo faz isso? — perguntou Sátir.

— Exatos doze anos — respondeu Málabu.

— E as crianças? Por acaso acha que podem ser essas que nós... — começou Rurique.

— Acho, sim. As pessoas as chamam de trasgos, espíritos de crianças perdidas... Mas, ouçam bem, não estou dizendo que o que presenciaram foram trasgos, mas há uma grande possibilidade de serem os espíritos das crianças que foram levadas pela bruxa e nunca foram encontradas. Não que eu acredite, é que contam muitas histórias por aí. Aparições de crianças como essas, por essas bandas, são frequentes desde que tudo aconteceu.

Os três entreolharam-se, incrédulos, desejando muito voltar para o sítio o mais rápido possível. Sem perceber, cada uma pegou um pedaço de bolo que a avó tinha mandado.

— Se são fantasmas, como puderam nos tocar? Chegamos a lutar com alguns deles! — observou Sátir.

— Não sei — respondeu Málabu. — Já escutei histórias de fantasmas que se materializam para cumprir certas tarefas entre os vivos, mas não sei se é esse o caso.

— Há pouco tempo, vimos uma velha... — Tibor parou e olhou da irmã para o amigo, como se pedisse permissão para quebrar a promessa de não comentar nada sobre o assunto. Como não se opuseram, ele resolveu continuar. — Uma velha nos seguiu na Estrada Velha, ela nos... — Tibor tentava encontrar a palavra adequada — ...farejava!

— Literalmente! — completou Sátir.

— Querem saber se existe uma possibilidade de essa velha que seguiu vocês ser a bruxa desaparecida há doze anos? — Os três confirmaram com a cabeça. — Não acredito que seja, porque ela nunca mais deu as caras por estas bandas. Deve ser só uma velha louca que andava por lá, na mesma hora que vocês — concluiu Málabu.

— Os pés dela eram enormes! — contou Rurique. — Vimos as pegadas no dia seguinte.

Málabu olhou-o rápido, como se Rurique tivesse dito algo de fato intrigante, mas logo disfarçou. Tibor e Sátir notaram que o homem estava escondendo alguma coisa.

— Bom, já chega, crianças. Agora tentem dormir — disse o ruivo, mudando de assunto. — Pelo que vejo, a cabeça do Lobato aqui já está bem melhor e amanhã temos uma longa caminhada pela frente.

Os três acharam que seria difícil conciliar o sono depois de uma história daquelas, mas obedeceram. Ninguém queria contrariar aquele brutamontes.

Málabu foi até a beira do rio para encher sua caneca de água e Tibor aproveitou para falar com a irmã.

— Percebeu que ele deve saber algo sobre aquela velha? — sussurrou.

— Claro que percebi, mas talvez não seja a bruxa — sussurrou a menina de volta.

— Por que acha isso?

— Ora, se ela era tão poderosa, não acha que teria entrado na casa e pego a gente lá dentro? A não ser que quisesse apenas nos assustar.

— Ou sabia do perigo que estávamos correndo na casa com aquele gorro maluco — sussurrou Rurique, entrando na conversa.

— Sendo a bruxa ou não, escondendo algo ou não, ainda tem uma coisa que ele não contou — disse Tibor, se levantando.

— E o que é? — perguntou Rurique.

Tibor não respondeu. Só foi andando na direção do rio, concentrado em arrancar uma informação de João Málabu.

— Málabu? — chamou Tibor.

— Sim? — perguntou o ruivo grandalhão, depois de dar uma golada na água da caneca e enxugar com a mão a que tinha escorrido pela barba ruiva.

— O que essa história toda tem a ver comigo, com a minha irmã e com a nossa família?

Sátir teve um sobressalto. Tinha esquecido aquele detalhe! Estava com tanto medo, depois de se ver caçada por fantasmas de crianças desaparecidas, que acabou esquecendo que a história tinha uma ligação direta com eles.

Então Málabu encarou os dois e falou:

— O ser que enfrentou a bruxa e fez com que ela desaparecesse, há doze anos, fazendo justiça e trazendo a paz a todos os moradores dos vilarejos até os dias de hoje, é o pai de Dona Gailde, o bisavô de vocês.

7

O MOINHO DOS TRASGOS

Deitado embaixo da lona, Tibor pensava em tudo que tinha ouvido de Málabu. Segundo o homem, seu bisavô era um ser fantástico! Era lembrado em lendas e mitos contados há várias gerações. Mas quem era ele? Será que já tinha escutado algo sobre o bisavô? Onde ele se escondia? Como fez para sumir com a bruxa? Será que tinha poderes? Se tinha, será que existia a possibilidade de sua avó ter herdado algum deles? Ou ele mesmo, ou talvez sua irmã?

Sua mente dava voltas com mais e mais perguntas sobre a família até seu lado inconsciente tomar conta da sua razão e mergulhá-lo de vez num sono tranquilo. Mas, pouco antes de adormecer, desejou sonhar com o bisavô, pois queria mesmo saber quem ele era.

Não saberia dizer se já tinha dormido há um bom tempo ou se caíra no sono naquele instante, quando alguém o sacudiu. Pensou que, se fosse a irmã, seria muita grosseria acordá-lo daquele jeito; se fosse Rurique ou Málabu, estariam abusando da sua amizade.

— Ei, minha cabeça! Cuidado! — reclamou Tibor ainda sonolento, enquanto mãos o chacoalhavam freneticamente. — O que está fazendo?

Abriu um olho e enxergou um pouco embaçado. O que viu não lhe agradou nada. Na verdade, quando seu cérebro processou o que estava acontecendo, entrou em pânico e começou a gritar:

— Ahhhh! Sátir, socorro! Rurique! Eles estão aqui! Estão me levando! ACORDEM!

Tibor tinha sido preso dentro de um saco e estava sendo carregado nas costas de alguém, como um legítimo saco com batatas.

Pôde ouvir barulho de luta do lado de fora, mas não distinguia nenhum som, a não ser o barulho do rio se distanciando. Sua adrenalina subiu, eliminando de vez qualquer resquício de sono. Sua cabeça recomeçou a latejar. *Estou sendo sequestrado por uma daquelas crianças*, pensou ele. *Para onde estão me levando?*

Tibor começou a se sacudir e a chutar as costas do seu raptor pelo lado de dentro do saco. Mas quem o carregava parecia não querer parar por nada. Depois de uns quinze chutes, o saco foi largado com ferocidade no chão, machucando as costas de Tibor e mostrando impaciência com suas tentativas de resistir ao rapto.

Dentro do saco, Tibor sentiu pancadas partindo de todos os lados e mal teve tempo de proteger o rosto. Foi atingido nas costas, nas pernas, nos braços e na cabeça, o que o deixou muito irritado.

Quando o saco foi reerguido, ele começou a chorar baixinho, mas concluiu que era melhor não reagir e seguir as regras de seus agressores.

Parecia que tinham quebrado uma das suas pernas, porque a dor era forte demais. A coisa que estava do lado de fora de fato não estava para brincadeira.

Depois de muito caminharem, o saco foi colocado no chão. Tibor ouviu barulho de vários pés ao redor e identificou os gritos de um outro garoto ao longe:

— O que estão fazendo? Para com isso. Me solta! — A voz do garoto demonstrava pânico.

O que está acontecendo lá fora?, pensou ele, desesperado.

Abriram o saco e, assim que colocou a cabeça para fora, Tibor reparou em muitas coisas ao mesmo tempo.

Ele estava numa enorme clareira, no meio do mato, e umas cinquenta crianças espalhavam-se por toda a extensão ao seu redor. Tinha sido, de fato, raptado pelas crianças misteriosas, que provavelmente eram os fantasmas das crianças desaparecidas doze anos antes.

Ali perto havia uma casa enorme, toda suja e deteriorada, com uma espécie de roldana gigante que, movida por água corrente, servia para mover as mós, as pedras usadas para triturar grãos. Tinha certeza de que aquela casa era o tal moinho abandonado que Málabu mencionou, mas não havia água por ali há muito tempo para mover a roldana.

Nesse instante, um menino e uma menina passaram a puxá-lo, para que ele começasse a andar. Então ele percebeu que sua perna devia estar mesmo quebrada, estava com dificuldade para apoiá-la no chão.

Eles passaram pela menina que carregava um bebê no colo e ela o encarou com a mesma expressão vazia que todos exibiam no rosto.

Tibor foi amarrado a um tronco, onde já tinham prendido um garoto maior que ele. O menino tinha sangue escorrendo do nariz e pelo jeito estava tão apavorado quanto ele.

— Ei! O que está acontecendo aqui? — perguntou Tibor.

O garoto respondeu, parecendo em choque:

— Não sei. Eu não fiz nada. Por favor, alguém...

— Ei, garoto, fica calmo! — Tibor percebeu o absurdo que pedia ao menino, já que ele mesmo não conseguia parar de tremer. — Me diga o que está acontecendo.

O garoto olhou para Tibor com os olhos arregalados e disse com um ar ensandecido:

— Isto é um sacrifício para a Cuca, a bruxa que desapareceu!

Tibor gelou ao ouvir aquele nome: Cuca. Olhou em volta e percebeu que as crianças estavam se posicionando em círculo.

— O ritual... está começando! — gaguejou o garoto. — Dizem que toda quaresma a bruxa exige um sacrifício. E os sacrificados vagam para sempre com os trasgos da floresta.

— Tá legal, espera um pouco aí! Está me dizendo que isso aqui é um ritual de sacrifício? Que eles vão...

Antes que ele terminasse a frase, as crianças começaram a girar no lugar e, pela primeira vez, ele ouviu um som sair de suas bocas. Palavras murmuradas que ele não entendia. Parecia outro idioma. Dali a alguns instantes, Tibor começou a sentir uma presença em meio às árvores, em volta da clareira. Sentiu a maldade que emanava dela e pensou que talvez aquele fosse seu executor ou ainda a própria bruxa.

— Eu não quero acabar assim! — lamentou o garoto, chorando feito louco. — Eu não quero acabar... não assim! — repetia ele.

Tibor achou que coisas ruins estavam acontecendo rápido demais e, disposto a dar um jeito naquilo, tentou forçar a corda que prendia seus braços. Os nós, no entanto, eram muito fortes.

Foi tudo em vão. Não adiantou a gente fugir e brigar com os tais fantasmas. Nem mesmo o brutamontes Málabu pôde fazer alguma coisa, ele pensou.

Tibor gostaria ao menos de saber como estavam a irmã e o amigo. Se pudesse fazer um último pedido, seria que todos estivessem seguros no sítio, deitados na cama, de banho tomado, só esperando o sono chegar.

Mas a situação era bem tensa no momento. Nada podia fazer a não ser esperar que aquele ritual idiota acabasse. Achava que todas aquelas crianças pareciam umas babacas girando daquele jeito. E, quanto mais giravam, mais o ser maligno, que rondava sorrateiro, fazia-se presente.

Ele implorava em pensamento para que parassem com aquilo, nem queria saber o que rondava a mata, já tivera surpresas demais até ali. Só pensava em como aquilo iria terminar. Se fosse com dor, que acabasse logo. A pior coisa era ter que esperar. Lembrou novamente dos pais. *Será que o medo que sentiam ao morrer no fogo era o mesmo que estou sentindo agora?*, pensou.

Não queria saber. E também não queria morrer! Afinal, só tinha 13 anos e sua vida deveria ser longa naquele sítio, para compensar tudo de ruim que viveu depois da morte dos pais, naquele orfanato nojento.

Duas crianças saíram da roda e vieram na direção dele, cada uma delas com algo nas mãos. Tibor não conseguia ver o que carregavam, pois o objeto estava enrolado num pano sujo de limo.

Conforme as duas crianças com cara de zumbi chegavam mais perto, o peito de Tibor arfava mais rápido, suas pernas começaram a amolecer e sua tremedeira passou a ser incontrolável. Tentou, mais uma vez, livrar-se da corda, mas foi inútil.

— Isso é covardia! — vociferou. — Estão em maior número e ainda amarram a gente desse jeito. — A roda de crianças continuava a girar e murmurar.

Sem dar a mínima para a indignação de Tibor, as duas crianças se aproximaram dele e do outro prisioneiro e retiraram o pano sujo dos objetos que carregavam. Tibor então viu duas taças prateadas, uma com cada criança, com um conteúdo negro e pegajoso.

— Não vou beber isso! — berrou Tibor, quando o menino fantasma à sua frente segurou com força o seu queixo com os dedos frios.

Sem conseguir mover as pernas e os braços, o melhor que pôde fazer foi cuspir no menino. O zumbi recebeu a cusparada no olho, mas nem sequer piscou.

Tibor se contorceu e lutou o máximo que pôde enquanto a assombração tentava verter o líquido na sua boca. Olhou para o lado e, ao ver o outro menino sucumbido à vontade da criança macabra, gritou:

— Ei! Não beba isso! Não se entregue! — Mas parecia tarde demais. O menino, já sem mostrar nenhuma resistência, bebia agora o último gole da taça prateada.

Depois de beber, ele baixou a cabeça e começou a tremer violentamente. Tibor, de onde estava, podia ouvir os dentes do outro rangendo.

Mais uma vez, o agressor segurou o queixo de Tibor, que pensou consigo mesmo: *Acabou. É agora. Adeus a todos, maninha, vó, Rurique, mãe, pai... Este é o triste fim de Tibor Lobato!* Sentiu o gosto amargo do líquido negro encostando em sua língua.

O tumulto de uma luta tirou Tibor do transe causado pelo pânico e alimentou suas esperanças novamente. O menino que segurava a taça olhou para trás e viu o mesmo que Tibor: uma porca gigante foi "toureando" as crianças da roda, como se fossem pinos de boliche. Málabu aparecia do outro lado da clareira, junto com Rurique, e partiam logo para a briga.

Tibor mordeu a borda da taça, tirou-a da mão do menino zumbi e, sem tomar nenhum gole, jogou-a para o lado, derramando o líquido viscoso no chão. Pela primeira vez, Tibor pôde notar algum tipo de expressão no rosto do menino pálido e ficou feliz quando percebeu que era de desespero.

O menino fantasma mirou um soco no estômago de Tibor, mas, antes que conseguisse atingir o alvo, uma Sátir insana voou para cima dele.

Com o ritual interrompido, Tibor não sentiu mais a presença ruim que rondava por ali e a briga comeu solta por toda a clareira. Mesmo com a ajuda da porca e de todos os outros, eles ainda estavam em desvantagem.

Sátir desamarrou o irmão e Tibor insistiu que deveriam desamarrar também o outro menino, que agora estava desacordado. Rurique e Málabu correram até eles, enquanto a porca continuava a atacar as crianças zumbis. Málabu colocou o menino desmaiado nas costas e Rurique apoiou Tibor em seu ombro.

— Vamos embora daqui, direto para o sítio da avó de vocês! — ordenou Málabu, "...e ninguém ousou fazer qualquer objeção, trataram logo de fugir dali.

Tibor olhou para trás e viu que o rosto das crianças demonstrava raiva e indignação. Tibor supôs que, até para fantasmas, aquilo já era demais. Pedaços de pau e pedras zuniam ao passar rente à cabeça de Tibor e dos amigos. Mas, em nenhum momento, interromperam a fuga, aproveitando a vantagem que a porca deu a eles ao se colocar no caminho dos trasgos.

Quando já tinham se distanciado alguns metros, Tibor olhou mais uma vez para trás e viu que a porca tinha começado a brilhar, uma luz dourada emanou do seu corpo todo e obrigou os trasgos a cobrir os olhos com as mãos. Com isso, Tibor e os outros ganharam um pouco mais de tempo. E a porca, assim como tinha surgido, desapareceu.

— Obrigado! — sussurrou Tibor, dirigindo-se em pensamento à mãe de Roncador.

Embrenharam-se na mata o mais rápido que puderam. Estavam em condições precárias, todos exaustos e Tibor com a perna machucada. A porca tinha lhes concedido uma boa vantagem, mas os trasgos já estavam tratando de recuperá-la.

Uma pedra, do tamanho de um punho, atingiu o ombro de Sátir com força, mas ela não parou de correr.

Tibor via as silhuetas se aproximando e preenchendo cada espaço vago entre as árvores. Parecia mesmo impossível escapar, mas, como tinham se safado até ali e, apesar dos pesares, estavam todos praticamente inteiros, Tibor tinha fé de que sairiam com vida.

Correram desenfreados, fugindo por mais de meia hora, até chegarem a uma trilha no meio do mato.

— Por aqui!— Málabu gritou.

Seguiram pela trilha por um bom tempo e passaram a subir um morro. Tibor achou o morro familiar e constatou que realmente era, quando Sátir exclamou:

— Ei, foi ali na frente que a porca e os sete leitões desapareceram pela primeira vez!

E de fato tinha sido ali que a porca havia começado a brilhar e eles tinham partido para a sua louca excursão pela floresta.

Subiram cada vez mais, sem nunca parar, sem nunca parar, com as crianças fantasmas em seu encalço. Chegaram, enfim, a uma parte plana e passaram a correr em linha reta. Podiam ver ao longe a cerca do sítio.

Os trasgos agora estavam mais perto. Atiraram outra pedra, que atingiu a cabeça de Rurique em cheio, derrubando o menino, que ficou imóvel no chão.

— Não, Rurique! Não desmaie agora. Vamos, levante-se! — gritava Tibor, sacudindo o corpo do amigo.

— Desmaiar agora? — disse Rurique, levantando a cabeça, com um filete de sangue descendo pela lateral do rosto. — Nem pensar! — Ele se pôs de pé, novamente, apoiando-se em Tibor.

Passaram pela cerca de madeira e correram na direção da casa rústica e imponente da avó. O coração de todos se alegrou com o alívio de ver a casa. Mas os trasgos já pulavam a cerca e invadiam o sítio.

— Vó! — gritaram os netos, antes mesmo de chegar perto da varandinha. — Abra a porta, vó!

Subiram depressa os degraus e, quando Sátir estava prestes a pôr a mão na maçaneta, viu-a girar e a porta se abrir, revelando Dona Gailde, muito pálida.

— Entrem rápido, crianças! — disse ela, num tom apressado, e todos passaram correndo pelo hall.

— Málabu — cumprimentou Gailde.

— Senhora — disse ele, em resposta, curvando de leve a cabeça.

Gailde bateu a porta atrás de Málabu e fechou o trinco. Estavam todos em choque e o pavor só aumentou quando ouviram um estrondo na porta. Os trasgos já estavam ali e iriam invadir a casa, caso nenhuma providência fosse tomada.

— Rurique e Málabu! — chamou Gailde, com autoridade. — Coloquem Tibor e o garoto desacordado no sofá da sala e fechem todas as janelas e portas da casa. Sátir! — chamou, virando-se para a menina que segurava o braço machucado. — Pegue no meu quarto uma maleta de primeiros socorros, embaixo da cama. Vão, depressa!

Os três obedeceram e Gailde seguiu para a sala, verificando se as janelas estavam todas trancadas.

Logo todos já estavam de volta, na sala. As luzes da casa apagaram-se com um estrondo e Rurique acendeu sua lanterna com figurinha de onça, que tinha pegado enquanto fechava as janelas do quarto de Tibor.

Sob a fraca luz da lanterna, todos ficaram em silêncio, apenas ouvindo os pés apressados que corriam ao redor da casa. Eram dezenas de crianças medonhas do lado de fora, querendo entrar. Tibor segurava a perna com força no lugar em que parecia ter quebrado e lastimava-se por estar em tal situação. Queria munir-se de algo para proteger a casa, caso algum deles a invadisse.

Por todos os lados ouviam-se batidas nas portas e nas janelas.

— Será que vão machucar a Mimosa e as galinhas? — perguntou Sátir.

— Não. Eles querem outra coisa — disse a avó com ar misterioso. — Algum plano foi colocado em prática e isso era o que eu temia.

— Do que está falando, vó? — perguntou Tibor, do sofá, ao lado do garoto desacordado.

Levaram um susto ao ouvir uma janela ser quebrada na cozinha. Parecia que estavam conseguindo entrar. Nem um segundo depois, a porta dos fundos pareceu ser arrombada.

— Não tenho tempo para explicar isso agora — disse Gailde para Tibor, levando as mãos ao pingente verde que carregava no pescoço. — Fiquem todos aqui na sala e mantenham-se juntos, aconteça o que acontecer!

Tibor pensou que seria o fim, as crianças iriam invadir e atacá-los ali mesmo e, pelo que pôde perceber, elas não tinham dó nem piedade, fariam isso sem pestanejar.

Sátir pegou um abajur e segurava-o em posição de ataque, Málabu estava de punhos cerrados, esperando quem quer que fosse, e Rurique iluminava cada canto da sala, pronto para denunciar o primeiro intruso.

Gailde foi até o hall e ficou em frente à porta. Ergueu uma das mãos, aberta, e fechou os olhos. A outra mão segurava com força o pingente.

— O que vai fazer, vó?! — gritou Sátir.

— Expulsar esses intrusos do nosso sítio! — a avó gritou em resposta.

Sátir fez menção de ir até ela.

— Não saia daí! Fique junto do seu irmão — ordenou a avó.

Uma corrente de ar passou por toda a extensão da casa. Uma luz verde acendeu-se do lado de fora. Todos voltaram a cabeça para ver o que era e presenciaram algo inimaginável.

Labaredas materializaram-se a partir do nada, na frente da casa, e tomaram a forma de uma enorme serpente de fogo.

— Essa não! O que é isso agora? — berrou Rurique. Até Málabu pareceu apavorado com a aparição.

Pela janela puderam assistir a tudo. A cobra devia ter uns dez ou doze metros de comprimento e suas presas eram cor de marfim. Enrolada em seu próprio corpo, com a cabeçorra de pé, ela encarava a todos, em meio às chamas esverdeadas.

Então ela abriu a boca, ameaçando os trasgos, e um segundo depois deu um bote e se transformou num fogaréu que rodeou a casa toda, afugentando as crianças zumbis para longe. De dentro da casa, via-se fogo através de todas as janelas ao mesmo tempo, iluminando as paredes e os móveis com uma luz verde.

Tibor pôde ver vários trasgos em fuga, pulando a cerca de madeira em direção à mata. Pensou que faria o mesmo se estivesse no lugar deles, pois morria de medo de fogo e estava se contendo para não gritar de pânico, sentindo o calor das labaredas por toda a extensão da casa. Mas logo depois o fogo se extinguiu. Não havia mais cobra nenhuma e o silêncio se instalou na sala.

Tibor, tremendo assustado, chamou:

— Vó!?

Gailde se apoiava com a mão trêmula na parede do hall. Sátir correu até a avó e a segurou no momento em que ela desabava, desacordada.

8

O MUIRAQUITÃ

Sátir percebeu que a avó respirava devagar e sua expressão indicava que não estava nada bem. Colocou a mão na testa dela e notou que estava gelada.

— Socorro! — gritou a menina. — O que eu faço?

Málabu deitou Dona Gailde no sofá, em frente à lareira.

— Ela precisa de descanso, está esgotada, só isso. Não há com que se preocupar. Pelo menos, não em relação à sua avó. — Então dirigiu-se à janela, para ver como estavam as coisas lá fora.

Sátir começou a chorar, em silêncio, o que cortou o coração do irmão, que detestava ver a irmã desolada. Rurique também estava aflito;

ainda com medo de uma possível invasão e daquela estranha aparição que queimou tudo lá fora.

Ficaram, em silêncio, no breu da sala. Não se atreveram a sair de lá e nem do lado da avó, como se ainda obedecessem sua última ordem.

O sol já começava a pintar, com cores vivas, toda a extensão do sítio e os objetos dentro da sala. Mas Tibor, Sátir e Rurique, apesar de exaustos, não conseguiam pregar o olho.

Málabu fez curativos na perna de Tibor e refez o da cabeça, cuidando também do ferimento da pedrada que Rurique levou na cabeça e do braço machucado de Sátir. Quanto ao menino desmaiado, o que Málabu pôde fazer foi uma compressa na testa dele, que continuava desacordado.

O corpo de Tibor estava todo dolorido. Sentia que, a próxima vez que se despisse para tomar banho, veria um corpo irreconhecível, de tantos hematomas. Sentia raiva dos tais trasgos; se pudesse, liquidava-os um a um. Tinham violado um lugar que era como o paraíso para ele, seu lugar sagrado, o único lugar em que tinha sido feliz, desde os tempos do orfanato. Pior que isso, tinham atentado contra a vida da avó, e com certeza não os perdoaria por essa.

Gailde soltou um gemido e todos na sala voltaram a atenção para ela.

— Todos estão bem? — Dona Gailde perguntou.

A pergunta soou irônica, já que eram eles que deveriam fazê-la.

— Málabu — chamou ela, sentando-se. — Obrigada por trazer meus netos e Rurique em segurança da mata. — Málabu respondeu com um aceno de cabeça, depois Gailde voltou-se para os três jovens. — Imagino que haja milhões de dúvidas nestas cabecinhas. Então vamos por partes. Chegou a hora de saberem algumas coisas, mas antes quero que me contem o que aconteceu com vocês e com esse garoto — e apontou para o menino desacordado.

Tibor contou tudo em detalhes, desde quando saíram do sítio, na tentativa de salvar Roncador. Contou como a porca brilhou e sumiu; sobre a briga que tiveram com os trasgos, quando foram encurralados; também do seu rapto e do ritual de sacrifício. Quando comentou sobre a taça prateada, a avó perguntou:

— O que havia na taça? Como era o líquido que ela continha?

— Escuro e meio pegajoso! — disse Tibor rapidamente.

— Veneno! — sussurrou ela. — Elas estão juntas novamente, é pior do que imaginei.

— Veneno? Elas fizeram esse menino tomar a taça inteira! — disse Tibor, assustado, apontando para o garoto moribundo. — Ele vai ficar bem?

Gailde abriu a maleta e todos perceberam que ali primeiros socorros tinha uma conotação diferente. Viam-se ramos de plantas variadas e frascos esquisitos. Ela pegou um vidrinho contendo um líquido transparente. Abriu a boca do menino e despejou todo o conteúdo.

— Ainda há chance de ele despertar, mas receio que isso levará alguns dias, ou semanas. Teremos que tomar conta dele até acordar, depois descobriremos quem é, onde mora e aí o levaremos para casa. — Virou-se para João Málabu e disse: — Deve estar cansado. Se quiser ir para casa, eu assumo daqui. — O homem ruivo olhou desconfiado pela janela. — Não precisa ter medo! Lá fora está seguro agora.

— Gostaria de pedir uma coisa, se não for incômodo — começou Málabu, de um jeito respeitoso. — Sei que não é uma hora oportuna, mas tenho menos de duas semanas... a senhora sabe que...

— Seu "remédio" está no armário branco da cozinha, na segunda porta à direita — cortou ela. — Boa sorte nos próximos dias. Se precisar de ajuda, faço questão que me procure. Você nunca será um incômodo para mim. — E terminou com um sorrisinho no rosto.

Málabu despediu-se de todos, pegou o remédio na cozinha, que ninguém conseguiu ver direito, e foi embora.

Gailde, ainda com dificuldade, atravessou a sala e sentou-se em sua cadeira de balanço. Cruzou as mãos no colo e começou:

— Vamos aos fatos! Direi coisas a vocês que podem parecer absurdas, mas, como já puderam perceber, em época de quaresma, por essas bandas os absurdos são muito reais. — Os três escutavam, atônitos. — Gostariam de perguntar algo antes de eu começar?

Os garotos dispararam a fazer perguntas.

— O que era aquela cobra de fogo? E os trasgos? Vão voltar? — perguntou Rurique.

— Como a senhora sabe que agora está seguro lá fora? Quem é a bruxa que sumiu? O que é essa pedra que a senhora carrega no pescoço? — perguntou Sátir.

Gailde esperou até que os dois terminassem de falar e percebeu que Tibor tinha ficado em silêncio.

— Tibor? Não há nenhuma pergunta que queira fazer?

— Há, sim!

— Pois então? — falou Gailde, levantando as sobrancelhas.

Tibor se acomodou melhor no sofá e ajeitou a perna, para que a dor não incomodasse tanto.

— Quem era meu bisavô? — perguntou ele, sério.

Por um breve instante, todos permaneceram em silêncio.

— Bom, acho que a conversa vai durar mais tempo do que pensei — disse Gailde, pondo-se de pé. — Acho melhor irem se lavar primeiro, enquanto preparo um lanche para vocês, afinal passaram um tempo na mata sem banho e sem comida de verdade. Devem estar um caco.

— Não! — contestou Tibor. — Desculpe, vó, mas precisamos saber primeiro. — Ele fez uma pausa. — Eu preciso saber. — Rurique fez uma careta; parecia que preferia a comida e o banho antes das explicações, mas ninguém deu muita atenção.

Gailde encarou o neto com um olhar nostálgico, como se ele a fizesse se lembrar de alguém.

— Você às vezes é como seu pai — disse ela baixinho, então deu um suspiro e voltou a se sentar na cadeira de balanço. — Muito bem! Informações primeiro. — Apontou para Rurique. — Se os trasgos vão voltar? Não, pelo menos por enquanto; devem estar escondidos em algum canto da Grande Floresta. Apesar de serem espíritos, seus medos ainda são como os de qualquer criança; portanto, por hora, estamos seguros. Aquela cobra de fogo? Para poder falar dela, tenho que contar sobre esta pedra. — Ela olhou para Sátir e apontou para o pingente verde. — Mas, para contar sobre a pedra, tenho que falar do bisavô de vocês, o meu pai. — E olhou para Tibor. — Isso leva ao desaparecimento da bruxa.

Os passarinhos já começavam a piar lá fora e o galo cantava alto, anunciando o raiar do dia. Mas os três estavam de orelha em pé e prontos para ouvir e acreditar no que quer que fosse. As informações que Gailde estava prestes a revelar não poderiam ser mais absurdas do que as coisas que já tinham presenciado até ali.

— O meu pai era um protetor da natureza, sempre foi! E meu filho, Leonel Lobato, além de ter puxado o avô, casou-se com uma mulher que tinha as mesmas características que ele. Meu pai já tinha virado lenda bem antes de eu nascer e seus feitos são contados até hoje, em diversos lugares, no país inteiro. A maioria o conhece como... Curupira! — Nessa hora Tibor, Sátir e Rurique arregalaram os olhos e ficaram de queixo caído.

— O Curupira é real? — quis saber Tibor.

— Sim, e ele é bisavô de vocês! Se tinha os pés para trás como contam? Tinha. Era um defeito de nascença que acabou virando sua maior arma contra os caçadores e aqueles que derrubavam árvores e destruíam as florestas. Ele fazia com que essas pessoas se perdessem, deixando trilhas que levavam para o meio do mato, de onde era difícil achar o caminho de volta. Como suas pegadas eram ao contrário, quando as seguiam, os malfeitores iam parar no coração da floresta e lá aprendiam a lição de precisar contar com os recursos da própria floresta pra sair de lá com vida. Mas não era só assim que ele defendia as matas. Enfim, não foi bem esse o caso aqui.

Tibor olhava para o chão, perdido em pensamentos.

— Onde ele está agora? — perguntou ele.

— Infelizmente, está morto. Caiu numa armadilha, tramada por um de seus maiores amigos, e acabou sendo assassinado por um grupo de caçadores.

Tibor e Sátir ficaram pensativos. Tentavam imaginar como o bisavô era. As histórias contavam que o Curupira era ruivo, o que já explicava o cabelo da avó e de Leonel, o pai deles. Mas os cabelos de Tibor e Sátir eram castanho-claros como os de Hana.

— O Curupira tinha um aliado na sua luta para proteger a natureza, um espírito da floresta chamado Boitatá. — Tibor fixou os olhos na avó, concentrado. — O termo "Boitatá" vem de línguas indígenas e significa "cobra de fogo". Ele nada mais é que um espírito da floresta que mantém a ordem entre os seres da mata. É um ser fantástico, nem bom nem ruim; ele simplesmente é.

— Aquela cobra que apareceu lá fora e expulsou os trasgos daqui era o Boitatá? — quis saber Rurique, pasmado.

Gailde assentiu, deixando o menino mais pasmado ainda, e acrescentou:

— Eu o invoquei aqui, pois precisávamos de ajuda e era a única coisa que eu podia fazer. Precisei apelar para ele.

— E ele atendeu muito bem! — concluiu Rurique.

— Você o conjurou com a pedra, certo? — quis saber Sátir.

— Conjurei, não! Eu o chamei. O Boitatá é um espírito muito poderoso, ninguém pode ou consegue controlá-lo. Você o chama, mas ele vem se quiser. Naquele momento, se resolvesse não vir, estaríamos fritos!

— Tem razão — concordou Sátir.

— Mas, sim, foi com a ajuda dessa pedra. — A avó tirou o pingente do pescoço e o estendeu para que o examinassem.

A pedra era verde e tinha o formato de uma rã ou de um sapo. Era pequena, leve e fria.

— Isso se chama Muiraquitã — explicou Gailde. — É um amuleto indígena, esculpido em jade, que costumava ser dado de presente aos índios para trazer sorte e proteção. O Boitatá me reconhece por causa deste Muiraquitã. Sem o amuleto, ele não sabe quem eu sou. Quando os trasgos atacaram, eu poderia tê-lo chamado, gritado o seu nome e ele, muito provavelmente, não viria em meu socorro. Meu pai me presenteou com essa pedra, pois ela tem uma ligação com o Boitatá. Ele me deu o amuleto pouco antes de morrer, para que eu pudesse me proteger, já que sou a única da família sem poder algum.

— Como assim? — perguntou Tibor, devolvendo o amuleto à avó.

— Sou a caçula de três irmãs. Mas as duas mais velhas são filhas de outro pai.

Tibor ligava os fatos devagar, era muita informação de uma vez só. *Então ele tinha duas tias avós?*

— Enquanto crescíamos. — continuou ela —, eu era alvo das experiências delas, que sempre me usavam para testar seus poderes, que estavam aflorando. Meu pai sempre me tirava das garras delas, mas, com o tempo, elas se tornaram bem poderosas. Uma delas é a bruxa que sumiu, seu nome é Cuca. — Gailde fez uma pausa, para que os três tivessem tempo de assimilar os fatos.

Tibor se lembrou de já ter escutado aquele nome. O garoto desacordado, no sofá, tinha dito, enquanto estava amarrado no moinho, que estavam sendo sacrificados em nome da Cuca. Isso significava que quase foi morto para contentar a sua própria tia-avó!

— Então, Cuca era o nome da bruxa desaparecida — disse Rurique, ligando as coisas. — Quer dizer que o bisavô de vocês foi quem sumiu com a bruxa?

— Exatamente. Ele se revoltou quando soube que ela tinha feito dezenas de crianças desaparecerem de suas casas. Travaram uma luta violenta. O Curupira já estava bem velho e fraco, mesmo sendo um ser fantástico, e não conseguiu acabar com ela. No entanto, usou seus poderes para criar uma prisão para a Cuca, doze anos atrás. Isolou uma parte do vilarejo Guará, criando uma espécie de cerca com os seus poderes. Ninguém entraria ou sairia de lá. Pelo menos, era o que ele pensava. A prisão ainda existe, nós a chamamos de Oitavo Vilarejo, mas já não é a Cuca quem está encarcerada lá.

— Como assim? Ela, por acaso, fugiu? — Sátir quis saber.

— Fugiu há dois anos e ainda não sei como. Ela é traiçoeira, seus métodos e planos sempre acabam em doença ou morte. Por causa dessa fuga, tive de parar de procurar vocês. Por causa dela, vocês ficaram por dois longos e árduos anos no orfanato. Tive de aprender a usar os poderes contidos no Muiraquitã e procurar a bruxa que, mesmo depois de fugir da prisão, continuou desaparecida. Mas parece que agora ela colocou algum plano maligno em prática com a irmã e o cuidado que teremos de tomar, daqui pra frente, deve ser redobrado.

O silêncio imperou por vários minutos.

— Ouvi você comentar que elas estavam juntas de novo, quando soube do líquido que os trasgos fizeram ele tomar — falou Tibor, apontando para o garoto desacordado.

— Minha outra irmã também é um terror, mas não tanto quanto a Cuca. Não sei onde se esconde, não a vejo há muito tempo. Com certeza a Cuca deve tê-la procurado. A maior diversão delas sempre foi me ver sofrer. — Quando Gailde disse isso, sua expressão mudou, como se lembrasse de tempos terríveis. — Temia que isso ocorresse justamente quando vocês viessem para o sítio. Ela pode tentar me atingir fazendo algo contra vocês, por isso resolvi aprender os poderes da pedra e quis vocês sob minha proteção o mais rápido possível. — Ela olhou para cada um deles e continuou: — Vocês são meus netos e bisnetos do Curupira! O lugar de vocês é perto da natureza.

Tibor não sabia como, mas não deixaria ninguém encostar um dedo na avó ou na irmã. Deu razão à avó quanto ao lugar deles, sempre gostou da natureza e sentia-se bem demais acampando com os pais.

— Bom, já contei tudo o que sei. Pelo menos, acho que não me esqueci de nada importante — disse ela, levantando-se. — Já passou da hora de se lavarem, eu mesma não estou aguentando o cheiro de vocês. Me ajudem a acomodar o garoto no quarto de Tibor.

Rurique e Sátir pegaram o garoto e começaram a levá-lo escada acima. Tibor ficou no sofá, esperando que Rurique voltasse para ajudá-lo a subir, por causa da perna machucada, e olhava pensativo pela janela.

— Esclareci todas as suas dúvidas, Tibor? — perguntou a avó, assim que os outros deixaram a sala.

Ele assentiu.

— Então, o que foi que o deixou pensativo?

Ele refletiu antes de dizer:

— Só sobramos nós três na nossa família. Quero dizer, somos os últimos. Gostaria de ter conhecido meu bisavô... — Ele desconsiderou as tias-avós como parte da família, ainda chocado com tudo que tinha acontecido naquele dia. — Essa bruxa velha quase me fez ser sacrificado hoje. Ela está ameaçando tudo o que eu mais amo. Gostaria de encontrá-la agora! Ia fazer ela pagar por tudo o que fez! — disse ele com os punhos cerrados e os olhos vermelhos e marejados.

— Cuidado, Tibor! — advertiu a avó, fitando-o com preocupação. — Essas são palavras muito fortes para um garoto da sua idade. Isso pode levá-lo a um caminho escuro e sem volta, como aquele que minhas duas irmãs seguiram. — Ela parou e estudou as feições do neto. — É preciso saber dosar a raiva. Quanto à Cuca, não queira encontrá-la nem em um milhão de anos. Não sabe o grau de maldade que minha irmã atingiu. Se houvesse algo mais frio que o gelo, diria que é esse o sentimento dela para com os seres a seu redor. — A avó fez uma pausa para escolher bem as palavras e continuou: — Quero apenas que fique longe de problemas e, quando esses problemas vierem atrás de você, que fuja o mais rápido que puder!

— Está pedindo que eu seja um covarde?

Gailde se surpreendeu com a pergunta e respondeu com convicção:

— Se for para ser um covarde vivo, sim! Estou pedindo para que seja um covarde. De nada me vale um neto herói morto.

— Meu bisavô é um herói morto! — disse ele, sem hesitar.

Gailde suspirou de tristeza e mágoa ao perceber a revolta nas palavras do neto, mas deu certa razão a ele. Era muita coisa para assimilar ao mesmo tempo e achou que ele precisaria de tempo para conciliar tudo. Estava nervoso por estar confuso.

— Só digo isso para o seu bem, Tibor. Quero ver vocês longe do perigo porque amo vocês. E amo vocês demais! Se acha que será um covarde se fugir, então lhe darei outro conselho. Um conselho melhor, que o meu pai um dia me deu: "Siga sempre o seu coração! A razão é importante, mas o coração é a fonte de tudo. Siga-o e você estará seguindo o caminho certo, seja qual for a sua decisão. Acredite nisso!"

Os dois se fitaram nos olhos por um tempo. Tibor sentiu vontade de abraçá-la, não queria ter magoado a avó e sabia que tinha feito isso. Mas não sabia bem por que, sua mente não conseguia pensar em pedir desculpas ainda. Mil perguntas e mil possíveis respostas giravam dentro dela e era difícil se concentrar em algo, com as dores na cabeça e na perna, mas Gailde não o pressionou nem o culpou por nada, o que o deixou mais aliviado.

Rurique vinha descendo as escadas.

— Agora é você, amigão! — disse ele, sorrindo. — Bisneto do Curupira, hein? Que demais!

— Lavem-se rápido que levarei um lanche quentinho para vocês já, já — falou Gailde, lançando um olhar cheio de significado para o neto, mas com um sorrisinho nos lábios que o tranquilizou. Depois foi para a cozinha, enquanto os meninos subiam as escadas.

Mais tarde, de banho tomado e de pijama, os três estavam sentados no chão do quarto de Tibor, que refazia o curativo em sua perna. O menino desacordado tinha sido colocado num colchão no chão, embaixo da janela. Sátir cobriu-o com um cobertor, caso sentisse frio.

— O que acharam de tudo que Gailde contou? — perguntou Tibor.

— Achei demais! — disse Rurique. — Bisnetos do Curupira, por acaso sabem o que é isso? Hehe! Puxa, cara, e sua avó tem uma pedra que é uma espécie de linha direta com o Boitatá. Uhuu!

Parecia que Rurique era o único ali que não se dava conta do perigo que corriam, pensou Tibor. Ou talvez não. Talvez Rurique é que estivesse certo. Tinha encontrado uma forma de ignorar o medo que sentia e de se apegar às coisas boas, vendando os próprios olhos para as coisas ruins e aproveitando o momento.

Sátir, séria e pensativa, apenas fitou o irmão. Tibor retribuiu o olhar, sabendo que não tinham a mesma capacidade do amigo. Sabia que ele e a irmã encaravam os fatos de frente, da maneira como eram, e talvez por isso deixassem de curtir as coisas da maneira como deveriam. A vida que tinham levado até ali os expôs a situações complicadas desde muito cedo, e logo tiveram de se apegar um ao outro para, juntos, aprenderem a superar a perda dos pais e a vida no orfanato.

Tibor olhou fundo nos olhos da irmã e depois nos de Rurique e, ao achar neles a cumplicidade de que precisava, disse:

— Acho que temos uma grande jornada pela frente. Mais cedo ou mais tarde, vamos dar de cara com essa bruxa velha. E, quando estivermos frente a frente, teremos de estar preparados para enfrentá-la!

9

O SONHO DE TIBOR

Não foi tão difícil, para Tibor, dormir naquela noite. Só o fato de estar de volta à própria cama, depois de dormir ao relento e perder-se na mata, já era reconfortante.

O fato de saber que acordaria pela manhã e tomaria o café maravilhoso da avó era melhor ainda. Então dormiu um sono profundo e sem sonhos.

Quando abriu os olhos e olhou na direção da janela, o sol já estava alto, tinha dormido mais do que o normal. Lembrou-se das tarefas do dia e tentou se levantar. Surpreendeu-se com a dor na perna e na cabeça; por um instante, esqueceu dos acontecimentos recentes.

Continuou sentado na cama e passeou os olhos pelo quarto. Nem Rurique, que sempre acordava bem cedo, tinha se levantado ainda. Muito pelo contrário, estava roncando num colchão no chão e babava no travesseiro emprestado. Tibor não poderia se esquecer de pedir à avó para lavar bem aquela fronha com bafo de baba de Rurique.

Do outro lado do quarto, embaixo da janela, o outro garoto ainda se mantinha na mesma posição em que tinha sido deitado na noite anterior. *Ainda bem que não tomei o líquido da taça prateada ou dormiria tanto quanto ele*, pensou.

Percebeu que não tinha noção de qual era o dia da semana. Olhou para o criado-mudo ao seu lado. Uma bandeja com três copos sujos e restos de sanduíche estava ali desde a noite anterior, quando a avó tinha lhes trazido o lanche antes de dormir.

Tibor recapitulou o fim da noite anterior e viu que não se lembrava do momento em que a irmã tinha dado boa-noite e ido para o próprio quarto. Provavelmente ele tinha sido o primeiro a dormir.

Mudou de posição na cama, tirou o edredom xadrez que o cobria e deitou-se de forma que o sol, que entrava pela janela, pegasse bem em seu rosto.

Pensou nas coisas que a avó tinha contado na sala, depois da expulsão dos malditos trasgos.

Ele era bisneto do Curupira. Estava orgulhoso por saber disso. Seu bisavô era um ser lendário e era citado em vários livros, pelo país todo. Não devia existir uma pessoa que não conhecesse o nome dele. Com exceção de Málabu... Ou será que o caseiro da família Bronze só tinha preferido deixar que a avó contasse a eles a história da família?

Sua mente vagou por mais um tempo. *Que tipo de remédio a avó fazia e Málabu precisava? O homem não parecia doente enquanto estava na mata, a não ser pelos arranhões que tinha no rosto todo. Que tipo de doença causaria arranhões no rosto?* Tibor não conhecia nenhuma!

Assim que possível, vasculharia o armário branco da cozinha para ver se achava pílulas ou líquidos estranhos que a avó pudesse dar ao brutamontes.

Fechou os olhos e voltou a ver a cobra de fogo materializando-se do lado de fora da casa, com suas presas branco-marfim ameaçando os meninos fantasmas. *Minha avó tem um amuleto que pode invocar o Boitatá!*, lembrou-se ele.

— O que mais eu quero da vida? — disse então em voz alta, com um sorriso no rosto.

Imaginou a avó andando pela floresta com uma roupa de super-herói de história em quadrinhos. Colada no corpo, com um tipo de cueca por cima da calça e o desenho de uma rã, no formato da pedra verde, estampada no peito. Deu uma risada, enquanto se espreguiçava.

Pensou nas tias-avós e a raiva já lhe subiu à cabeça. *Por que essa tal Cuca fez o que fez? O que a levou a ser tão ruim? Quem era a outra tia-avó? Será que era a velha farejadora de pés grandes?*

"Juntas de novo!", a avó tinha dito. Quer dizer que já tramaram juntas antes. *Será que tiveram algo a ver com a morte do meu bisavô? Quem era esse amigo que fez o Curupira cair numa armadilha?* Tibor gostaria de conhecê-lo também. Quem quer que fosse, era um traidor descarado e deveria pagar pelo que fez.

Ficou em silêncio por um tempo, escutando apenas os sons dos pássaros do lado de fora. Nenhum barulho vinha da cozinha, a avó Gailde ainda devia estar dormindo. Também, pudera, a avó tinha passado por uma noite exaustiva.

Tibor tentou se levantar novamente. A dor na perna ainda persistia, mas estava bem melhor do que na noite anterior. Talvez não estivesse com a perna quebrada no fim das contas. O que era bom. Não precisaria ficar engessado. Não aguentaria ficar dentro de casa, enquanto assombrações de todos os tipos rondam o sítio, pensou.

O menino conseguiu ficar de pé e andar bem devagar, mancando, até a porta. Foi assim até o quarto da irmã.

A menina estava acordada, ainda enrolada em seu edredom listrado e abraçada ao travesseiro.

— Achei que só eu estava acordada — comentou ela.

— Pensei o mesmo e vim aqui atazanar minha irmã mais chata! — brincou o menino.

A irmã sorriu e sentou-se na cama, dando espaço para que Tibor se acomodasse.

— Como está essa perna?

— Melhorando. Minha cabeça dói mais. E seu braço?

— Vou sobreviver. E Rurique? Hê-hê! Babando como um quiabo ainda?

— Acho que nossa presença aqui no sítio fez ele ficar preguiçoso. — disse Tibor risonho. — Eu me lembro de algo que ele disse uma vez. Por aqui o certo é acordar junto com o cantar do galo.

Tibor assentiu.

É verdade — riu-se Sátir. E aquele menino? Ainda não acordou?

— Não. Continua na mesma posição, desde ontem à noite.

— Puxa, que estranho! O veneno que tomou devia ser bem forte...

Ficaram quietos por um tempo.

—Bisnetos do Curupira! — disse ela, de repente. — Até parece mentira, né?

— É. Aposto que, se a gente tivesse os pés para trás, seria mais fácil de acreditar, não acha?!

— Com certeza! — E caíram na gargalhada.

Nesse momento, a porta se abriu e Dona Gailde entrou no quarto.

— Ah! Meus netos estão acordados! — Então distribuiu beijos de boa-tarde; afinal, descobriram que já passava do meio-dia. — Não se preocupem com as tarefas do dia. Eu já cuidei de todas elas por vocês. Acabei de voltar do galinheiro e os ovos que aquela galinha pintadinha chocava viraram pintinhos hoje cedo.

— Que legal! — exclamou Sátir. — Vou escovar os dentes e descer para ver — e saiu do quarto para o banheiro mais próximo.

Tibor ficou a sós com a avó e achou que lhe devia uma coisa.

— Vó — começou ele —, queria pedir desculpas por ontem; fui meio grosseiro.

— Não tem importância. Eu sei que não fez por mal. Ontem todos nós estávamos muito estressados. Era normal que surgisse alguma discussão ou palavras atravessadas. — A avó acariciou os cabelos do menino. — Mas meu conselho ainda vale: "Siga sempre o seu coração", como está fazendo agora — enfatizou ela.

Mais tarde, estavam todos reunidos na mesa da cozinha, Rurique com o rosto inchado de sono. Na janela, acima da pia, havia uma grande rachadura. Um presente que a visita dos trasgos deixou para eles.

A mesa estava farta, como sempre. O suco de laranja e o bolo de banana eram os mais disputados. Empanturraram-se e foram para fora.

Gailde colocou sua cadeira de balanço na varandinha e, enquanto tricotava, vigiava os garotos deitados na grama em frente.

Tibor mancava bastante por conta da perna, mas Rurique e Sátir já estavam bem melhores.

— Quanto tempo vai ficar aí com essa moleza fingida? — Rurique alfinetou o amigo. — Aposto que está mancando apenas pra fugir de mais uma rodada de luta de espadas. Sabe que você perde sempre e está cansado de apanhar de mim, não é isso?

— Rá! Espera mais uns dias pra você ver se o que está dizendo é verdade. — E completou: — Se eu fosse você, treinaria a maior parte do tempo.

Chegou então o dia 20 de março. Tibor nem se lembrava, mas era o seu aniversário. O menino teve uma surpresa quando a avó e a irmã lhe trouxeram um bolo de chocolate na cama. Rurique acordou, assustado, com a invasão no quarto ao som de "parabéns pra você!".

Tibor fez um pedido antes de soprar as velas do bolo, desejando que o sítio fosse sempre assim, que não mudasse em nada. Daquele jeito tudo era perfeito. E que, se algo de ruim estivesse para acontecer, que ele tivesse forças para proteger o lugar da melhor maneira possível.

Soprou as velas e depois todos se lambuzaram até o nariz com a cobertura de chocolate, a não ser o menino desacordado. Apesar de ainda não se mexer, a avó dizia que ele já estava bem melhor. Vez ou outra, Gailde derramava o líquido de um frasco na boca dele.

Sátir, mesmo assim, cortou um pedaço de bolo e deixou ao lado do menino, caso ele acordasse, mas ele mais parecia uma estátua no colchão. Quem traçou o bolo, no dia seguinte, foram as formigas.

No dia 22, Tibor já andava normalmente. A dor ainda não tinha ido embora, mas não o impedia de andar e até correr um pouco. A primeira coisa que fez, depois das tarefas no galinheiro e no curral, foi convidar Rurique para um combate de espadas — e perder...

— Andou treinando como eu aconselhei, não foi? — cutucou Tibor.

— Não! Não preciso de treino para vencer um Lobato. Já são meus fregueses — disse Rurique, guardando a espada e estendendo a mão para levantar o amigo do chão.

— A sua sorte é que minha perna ainda não está cem por cento boa, ou ia ver só.

— Acho que sua cabeça é que não está totalmente curada, ou não teria coragem de falar assim com quem sempre vence você e sua irmã numa luta de espadas.

Sátir observava-os da escadinha da varanda e achava graça da troca de "elogios" deles.

Nesse mesmo dia, Tibor sentiu um peso estranho nos ombros. Parecia que precisava dormir, embora ainda fosse de manhã e ele tivesse acabado de acordar de uma noite longa de sono. O cansaço dominou o seu corpo a tal ponto que ele não aguentou. Foi para o quarto e desmontou na cama.

Começou então a sonhar com coisas estranhas, vários sonhos num só, como se tivesse uma gaveta cheia de sonhos atrasados e empilhados, que estavam sendo despejados de uma só vez em sua mente.

O primeiro sonho foi algo bem maluco. Sonhou que entrava na casa de alguém conhecido, só não sabia quem. Havia uma festa na casa e ele viu várias pessoas sentadas a uma mesa cheia de comida. Reconheceu um menino chamado Marcinho, que era o terror de Tibor quando estava no orfanato. Marcinho era o líder de um grupinho da pesada e, como um bom praticante de *bullying*, sempre causava encrencas para Tibor. Na festa, percebeu que a gangue de Marcinho também estava lá. Mais estranho ainda é que vários animais andavam soltos em meio às pessoas e serviam-se das bandejas espalhadas pela casa, como se também fossem convidados.

Num canto da casa, havia uma espécie de altar, com várias plantas ao redor, para enfeitar ou servir de oferenda; ou talvez fossem presentes para o dono da festa. Nesse altar, havia uma onça-pintada deitada, observando tudo tranquila e balançando o rabo.

Tibor estremeceu quando o valentão, Marcinho, veio cumprimentá-lo:

— Cuidado com a onça, Lobatinho! — E com uma gargalhada estranha e distorcida, o menino afastou-se e sumiu entre os convidados.

Uma música esquisita e abafada tocava, mas ninguém parecia notar que o som estava uma porcaria. Tibor percebeu que as pessoas andavam em câmera lenta e que a onça-pintada o encarava com o olhar fixo e feroz que só um felino daquele tamanho conseguiria ter. Quando ela fez menção de se levantar do altar, Tibor se enfiou no banheiro da casa. Trancou a porta e se olhou no espelho. Não conseguiu ver a própria imagem refletida, pois o espelho estava todo sujo e arranhado.

Abriu a porta do banheiro devagar, para checar onde estava a onça, mas um pavão passou na sua frente, bloqueando a visão do altar. O rabo azul do bicho saiu do seu ângulo de visão e Tibor viu o altar vazio, *a onça não estava mais lá*. Um medo instantâneo tomou conta dele. Viu, em meio às pessoas, o felino com a pele pintada vindo sorrateiro em sua direção. Tibor voltou a entrar no banheiro e trancou a porta novamente. Olhou para cima e viu uma janela aberta no alto da parede, que se parecia muito com a janela da casa do desaparecido fazendeiro Pereira. Passou pela janelinha e caiu do lado de fora.

Ao se colocar de pé, percebeu que o cenário era outro. Nesse segundo sonho, Tibor estava num lugar estranho, como se fosse um estacionamento da cidade grande. Era noite e não havia nenhum carro ali. Ouviu uns murmúrios estranhos e viu sua irmã e seu amigo Rurique amarrados de costas um para o outro, amordaçados, no centro do estacionamento. Meninos de roupas sujas e rasgadas, que pareciam aqueles que os tinham perseguido na mata, pulavam o muro do estacionamento e vinham na direção da irmã e do amigo. Tibor achou um pedaço de pau no chão e tentou afugentá-los, desesperado, temendo que machucassem os dois.

Eram muitos e vinham todos de uma só vez. Mais deles pulavam o muro e juntavam-se à briga. Enquanto Tibor afastava um, mais três se aproximavam.

— A gente não vai fazer parte do ritual de vocês! — gritava ele. — Está ouvindo, sua bruxa velha! É preciso muito mais para me pegar! — Ao dizer isso, mais uns trinta meninos derrubaram o portão do estacionamento, juntando-se ao tumulto. Tibor não daria conta, eram muitos.

— Não sou covarde! Não vou fugir! — dizia, enquanto continuava batendo o pedaço de pau a esmo e de olhos fechados.

Abriu os olhos e estava em outro lugar.

Neste terceiro sonho, andava por uma calçada, ainda na cidade. Ao subir uma ladeira, percebeu que havia alguém andando ao seu lado, mas não podia ver quem. Tentou virar a cabeça, mas parecia que não conseguia controlar o próprio pescoço.

Tibor achou aquilo muito estranho e, quando tentou parar de andar, também não conseguiu. Parecia que a única coisa que respondia ao seu comando eram os olhos. Era como se alguém estivesse controlando o seu corpo. Tentou ver quem andava ao seu lado, era esquisito, mas parecia importante que soubesse. Parado mais à frente, com duas rodas na calçada, havia um carro em chamas, com o capô aberto e todo estraçalhado que Tibor reconheceu de cara. Era o carro de Raul, o homem do bigode vivo, que os levou até o sítio quase dois meses antes. Aquilo fez Tibor estremecer.

Um homem estava debruçado sobre o capô, como se tentasse verificar os danos, mas não era Raul. Até Tibor sabia que, naquele estado, o carro não teria conserto.

Tibor foi se aproximando do carro contra a vontade, pois sentia que o caminho correto não era aquele que seu corpo seguia. Ao passar pelo carro em chamas, o homem o viu e o encarou, dizendo:

— Ei, garoto, aonde pensa que vai? — Tibor tentou dizer que suas pernas não respondiam, mas constatou que sua boca também não. Sem conseguir dizer nada, ele continuou a andar; a única coisa que conseguia mexer eram seus olhos, que se agitavam feito loucos nas órbitas.

O homem desconhecido pulou na sua frente, berrando:

— Ei, seu maluco! Estou falando com você! — e deu um empurrão em Tibor, que caiu no chão devagar, como se o mundo inteiro ficasse lento. Muito lento.

Quando caiu, não sentiu que o chão era de cimento e sim de grama. Levantou-se, percebendo que entrava agora num quarto sonho.

Estava no meio de uma clareira numa floresta, ainda à noite, e ouvia uma voz desconhecida dizendo sem parar:

— Controle sua fúria e seu medo! Controle sua fúria e seu medo! Controle sua fúria e seu medo!

Tibor olhava ao redor e não via nada. Estava agoniado, sentindo que algo estava para acontecer.

— Controle sua fúria e seu medo! — continuava a voz.

Viu um clarão esverdeado surgir e a floresta inteira encher-se de chamas. O calor era intenso e Tibor abaixou-se, aterrorizado.

Ouviu um grito de mulher seguido de outro grito de homem, e reconheceu os dois.

— Mãe! Pai! — gritou, olhando para os lados, mas só viu o fogo consumindo tudo ao redor. — Onde estão vocês?

— Controle sua fúria e seu medo! — dizia a voz, sobrepondo-se ao som ensurdecedor do fogo. — CONTROLE SUA FÚRIA E SEU MEDO! — ela gritava cada vez mais alto.

Tibor ajoelhou-se no chão e levou as mãos aos ouvidos, sentindo que seus tímpanos iriam estourar...

— CONTROLE SUA FÚRIA E SEU MEDO! CONTROLE SUA FÚRIA E SEU MEDO! ...SUA FÚRIA E SEU MEDO!

— CALA A BOCA!!! — gritou Tibor, sentando-se na cama.

Quando abriu os olhos, Gailde, Sátir e Rurique estavam de pé ao seu lado e o encaravam, assustados.

Tibor demorou um pouco até se dar conta de que já não sonhava mais. Sua roupa estava empapada de suor, sua pele ardia em febre e ele estava enjoado. De repente, sentiu uma contração forte no estômago e vomitou ao lado da cama, sentindo a cabeça girar.

Depois de fazer um chá para o neto, Gailde sentou-se ao lado dele na cama e lhe serviu uma xícara.

— Beba! Vai lhe fazer bem.

— Vó! — disse ele, tremendo. — Eu tive uns sonhos malucos e...

— Shh! — fez ela, para que o menino parasse de falar e tomasse o chá. — Eu sei, Tibor, eu sei.

Tibor não entendia como ela podia saber, mas ficou quieto. Depois de tomar o chá, contou a todos cada um dos sonhos que teve. O da onça na festa; o sonho da briga no estacionamento; aquele em que o carro de

Raul tinha aparecido em chamas e ele não conseguia dominar o próprio corpo; por fim, o do fogo na floresta.

— Ouvi a voz dos meus pais em meio às chamas, foi horrível! — relatou ele.

Sátir e Rurique olhavam para ele, abismados.

— Tibor, foi só um pesadelo — disse a irmã tentando confortá-lo.

— É, eu sei, mas foi tudo muito real.

— Não creio que tenha sido só um pesadelo, Tibor — começou Gailde, prendendo a atenção de todos na mesma hora. — Imaginei que isso fosse acontecer, só não pensei que seria tão cedo.

— O que quer dizer? — quis saber Tibor, evitando olhar para seu vômito no chão.

— Parece que alguém não perdeu tempo — disse ela. — Só esperou sua perna ficar boa para fazê-lo passar por uns testes de aptidão.

— Testes de aptidão? — repetiu Sátir.

— Vocês tocaram no Muiraquitã... Ele deve ter reconhecido o parentesco de vocês com o antigo dono. Os sonhos que ele causou em Tibor fazem parte do seu teste. Ele quer testar os seus medos e deixá-lo forte o bastante para, um dia, ser digno de recebê-lo. — Sátir fitou o irmão com preocupação e Gailde olhou para ela. — Sua vez vai chegar também Sátir, mais cedo ou mais tarde.

— Credo! Não quero ser perseguida por uma onça numa festa — protestou a menina.

Gailde deu uma risada e se voltou para o neto:

— Tibor, você vai ficar bem! Isso foi um teste, eu também tive de passar por isso e digo a você: passei muito mal o dia todo. Parece até que a pedra não pegou muito pesado com você.

— Está brincando, né?

Ela sorriu mais uma vez e disse:

— Tire lições do que o Muiraquitã lhe diz, aprenda com o que ele está tentando passar a você. Apesar de os sonhos parecerem não fazer muito sentido à primeira vista, o Muiraquitã coloca certos significados em suas alusões da realidade.

Tibor tentou esquecer tudo o que parecia não fazer sentido e lembrou-se da estranha voz que repetia: "Controle sua fúria e seu medo!"

Nesse instante, escutaram um gemido no quarto, bem embaixo da janela de Tibor.

Era o menino, que havia acordado.

10

Prenúncio de Morte

O menino contou que se chamava Miguel Torquado, mas que podiam chamá-lo de Tork, pois era assim que os amigos o chamavam.

Só agora Tibor reparava que ele era mais alto e mais forte do que ele e que seu cabelo era loiro-escuro, quase da mesma cor da palha do curral onde ficava Mimosa.

Estavam todos no quarto de Tibor. Gailde já tinha limpado o vômito do chão, mas o cheiro ainda lhe causava náuseas.

Rurique entrou no quarto com um copo na mão.

— Aqui está a água com açúcar que a Dona Gailde disse pra você tomar — e entregou o copo ao tal Miguel.

O menino tomou tudo como se saboreasse a bebida mais deliciosa do mundo, o que Tibor achou estranho porque, afinal, era só água com açúcar.

— O que mais pode dizer sobre você? — perguntou Sátir ao menino.

— Moro na Vila Guará, trabalho tomando conta de um velho chamado Icas. Ele não tem uma perna, coitado! — Miguel deu uma boa olhada em todo o quarto. — Quanto tempo fiquei desmaiado?

— Quase uma semana — respondeu Gailde.

— Droga! Preciso ir embora, o velho não sabe se cuidar sozinho, está muito debilitado.

— Você também não está em condições de viajar até a Vila Guará — disse ela. — Estamos na Vila do Meio. É melhor ficar aqui por mais alguns dias. Você foi envenenado e talvez não esteja totalmente curado.

Miguel olhou-a pensativo, como se ponderasse sobre as palavras dela.

— Não quero incomodar. Prefiro ir andando... — começou ele.

— Conte o que aconteceu com você. Como foi parar naquele ritual? — pediu ela.

Ele pensou um pouco, como se tentasse lembrar de algo que havia se passado há muito tempo.

— Eu estava dormindo na minha casa, meus pais não estavam; então aquelas crianças vieram durante a noite e me levaram.

Tibor pôde imaginar as crianças fantasmas invadindo a casa e colocando o menino dentro de um saco.

— Acordei perto do moinho e elas dançavam ao meu redor. — Ele estremeceu. — Foi horrível! Elas me amarraram em algum lugar... — Tibor viu as marcas que as cordas apertadas tinham deixado nos pulsos do menino, olhou para os próprios pulsos e notou marcas iguais ali também. — Elas diziam coisas que não faziam nenhum sentido, parecia outra língua. Suspeitei que estivesse acontecendo algo que meu pai sempre teve medo.

— E o que era? — perguntou Gailde sem muito entusiasmo, fazendo os questionamentos parecerem apenas uma formalidade.

O menino fitou cada um deles com seus olhos cor de mel.

— Um sacrifício para a Cuca.

Tibor estremeceu ao ouvir o nome da tia-avó novamente.

— Mas a Cuca não pratica sacrifícios há doze anos — estranhou Gailde.

O garoto fez uma breve pausa e continuou.

— Eu senti uma coisa ruim dentro da mata, quando aquelas crianças começaram a dançar em círculo. Tenho certeza de que era ela. Você sentiu algo assim também? — perguntou o menino, olhando para Tibor, que confirmou com a cabeça. — Ele foi trazido pouco depois que o ritual começou — contou Miguel e virou-se para Tibor. — Eu vi como eles trataram você, vi quando tiraram você daquele saco. Sua perna já está boa?

— Mais ou menos — respondeu Tibor.

Miguel Torquado voltou-se para Gailde.

— Então eles foram pra cima da gente e me fizeram tomar aquela coisa nojenta. Primeiro senti frio e depois senti meu corpo ir se desligando.

Achei que estivesse morrendo, mas acordei aqui e agradeço que tenham me salvado — disse ele, devolvendo o copo vazio a Rurique.

— Consegue se levantar? — quis saber Gailde.

O garoto tentou e caiu duas vezes, antes que Rurique o ajudasse a ficar de pé. Gailde pediu para que Sátir buscasse uma toalha de banho e mostrasse o banheiro ao menino.

— Tome um banho quente. Vou providenciar umas roupas de Tibor para você. Vão ficar um pouco apertadas, mas é só até eu lavar e secar as suas. — Gailde parou e olhou-o nos olhos. — Ah! E seja bem-vindo ao nosso sítio!

Miguel desceu as escadas e sua aparência, agora limpa e arrumada, fazia com que parecesse outro menino. Aparentava uns 16 anos e, por ser mais alto que Tibor, a barra da calça só ia até a canela e as mangas da camiseta estavam apertadas embaixo dos braços. Rurique soltou uma risadinha debochada ao vê-lo.

— Não se preocupe. Vai ter suas roupas de volta hoje mesmo, já estão no varal secando — tranquilizou-o Gailde, olhando feio para Rurique. — Venha almoçar! Sirva-se enquanto está quente. Chamo esse prato de "arroz de preguiçosa".

— E por que esse nome? — quis saber Tibor.

— Se reparar, vai ver que só há uma panela na mesa, que tem, além do arroz, legumes, queijo, uva-passa e linguiça.

— Ainda não entendi.

— Todos estão um pouco cansados hoje. Duvido que me ajudem na louça quando terminarmos, portanto, quando me sinto indisposta, faço o arroz de preguiçosa. Além de ser nutritivo, deixa pouca louça para lavar.

— E, claro, é uma delícia — falou Tibor, servindo-se de uma generosa porção do arroz.

Todos comeram bastante, o prato era mesmo delicioso. Miguel saboreou cada garfada, como se não comesse há anos. Na panela de arroz, tudo o que restou foram alguns pedacinhos de queijo.

— Se Roncador estivesse aqui, vó, não teria nem o trabalho de lavar essa panela. Ele ia lamber até limpar ela todinha — disse Sátir.

Rurique concordou com a boca cheia de suco de uva.

Passaram-se dois dias. O garoto parecia ser boa gente; não falava muito, mas enturmara-se dentro do possível.

Rurique gostou da luta de espadas com o menino, pois era um adversário à sua altura, se não superior a ele. Às vezes Rurique perdia; às vezes, o outro menino. Isso quando não acabava em empate. Tibor e Sátir, que perdiam todas as vezes para Miguel, deram-se conta de que eram uma negação na luta com espadas. Miguel não levava nem um minuto para vencer.

Miguel continuou dormindo no mesmo colchão, embaixo da janela no quarto de Tibor. Gailde um dia brincou, dizendo que o sítio já estava parecendo mais uma creche. O que, de certa forma, era verdade.

Os meninos ensinaram Tork a realizar as tarefas do dia.

— Para se comer aqui, é preciso seguir as regras do sítio — disse Tibor, no galinheiro, quando explicou a Miguel como escolher os ovos bons para o jantar.

Uma noite, fizeram uma fogueira e comeram batatas-doces, mas não se atreveram a sair do sítio, como da última vez em que tinham assado batatas. Contentaram-se em apenas contar a Miguel o que tinha acontecido naquele fatídico dia e fizeram-no jurar que não contaria nada à avó, que já tinha ido dormir.

— Está bem, eu juro — prometeu ele, sorrindo e mostrando as mãos sem os dedos cruzados em figas. — É mesmo uma ótima história, conheço quem iria se interessar muito por ela... — completou.

O fogo estalou no silêncio da noite, tão profundo que dava até para ouvir o barulho efervescente da espuma dos refrigerantes, quando ninguém falava nada.

— Conte alguma história — pediu Sátir.

— Não sei nenhuma — disse Miguel.

— Ninguém conta nada na Vila Guará? — quis saber Rurique.

Ele negou com a cabeça.

—Não que eu saiba.

—Eles não têm medo da quaresma? — perguntou Tibor.

— Devem ter. Eu é que não tenho mais.

— Por que você não tem mais? — interpelou Rurique.

— O homem de quem cuido é uma espécie de xamã das matas. Ele, de certa forma, me ensinou a não ter mais medo da quaresma.

— Mas como? — insistiu Rurique.

— Ora essa, quer que eu conte meu segredo para que aprenda a perder seu próprio medo, não é, seu medroso? — brincou Miguel, fazendo com que todos rissem de Rurique. Tibor e Sátir não disseram nada, mas também gostariam de saber o segredo do garoto.

Ficaram acordados mais um tempo, mas depois que as batatas-doces acabaram e os refrigerantes também, começaram a ficar com sono. Apagaram a fogueira e foram dormir.

No dia seguinte, pela manhã, Rurique foi para casa acompanhado apenas de Tibor. Gailde pediu para Sátir ficar de olho em Miguel, que ainda poderia estar sofrendo dos efeitos colaterais do envenenamento e não deveria sair do sítio. A avó pediu também para que Miguel tomasse mais um pouco do líquido do frasco, o que ele fez sem hesitar.

Tibor e Rurique seguiram pela Estrada Velha e passaram pela casa do fazendeiro Pereira. Estava como da última vez; os móveis ainda jogados no gramado ao redor da casa e janelas e portas escancaradas. Não se demoraram ali. Chegaram ao sítio de Rurique e Tibor foi, mais uma vez, muito bem recebido.

Apesar de Dona Gailde achar que os meninos deveriam contar aos pais de Rurique sobre os acontecimentos da semana anterior, pensaram que seria melhor não dizer que tinham se perdido ou sido perseguidos por fantasmas.

— Pai, vamos pescar? — pediu Rurique.

— Já pesquei ontem, meu filho — disse Avelino. — Colhi milho a manhã inteira também e estou exausto. Desculpe, mas tudo o que quero é o meu sofá. Se quiser, pode levar duas varas e ir com Tibor pescar à margem do lago. — Ao ver que o filho tinha ficado amuado, completou: — Não posso deixá-los pegar o barco sem a companhia de um adulto.

Os garotos se entreolharam, deram de ombros, pegaram as varas de pesca e saíram, sem hora certa para voltar.

Andaram bastante até chegar a Braço Turvo e andaram mais ainda para chegar ao Lago Cinzento. Aprontaram as iscas nos anzóis e, sem demora, entraram até os joelhos na água.

O lago estava escuro, frio e silencioso. Parecia que só os dois tinham tido a brilhante ideia de pescar naquela manhã de quinta-feira.

Uma hora se passou e nada.

— Acho que o segredo de uma boa pescaria é estar com o meu pai do lado — comentou Rurique.

Tibor riu da conclusão do amigo.

— Mas é verdade — reafirmou Rurique. — Sempre que estou com ele, pego um ou dois peixes e, olha agora! Nada... — Nesse mesmo instante, Rurique sentiu que algo tinha fisgado sua isca e ficado preso no anzol. — Opa!

Puxou com força e o peixe também puxou de volta, a linha mais parecendo um cabo de guerra. Tibor ajudou o amigo a puxar, mas Rurique pediu para que ele se afastasse, pois aquele peixe seria só mérito dele. Puxou de novo, mas desta vez com força demais, e viu o peixe sair da água e cair atrás deles, em meio às árvores que margeavam o lago.

— Uhuuu! — comemorou. — Acho que é um peixe enorme! E meu pai nem precisou estar aqui, foi só falar dele para o peixe morder o anzol. — Então correu em direção às árvores para buscar seu prêmio.

Tibor riu do amigo e ficou ali sozinho, com os pés na água. Dali era possível ver toda a vasta extensão do lago, todo ladeado pela floresta, sem nenhum sítio à sua margem.

Tibor sentiu algo esbarrar em sua linha, mas sem fisgar a isca. Então viu um rabo escuro de peixe aparecer por segundos, mais adiante.

— Ruriqueee! — chamou ele. — Acho que vi um peixe gigante aqui! — O amigo não respondeu.

Tibor resolveu, então, recuar um pouco mais na água, devagar, para que o tal peixe não sentisse sua presença e não fosse embora. Então começou a ver uma grande silhueta nadando em círculos à sua frente. Achou esquisito, pois o formato do peixe não era nada comum. E foi nesse instante que uma cabeça de mulher apareceu acima da linha d'água, olhando fixamente para ele.

Ela era linda!

Seus olhos escuros prendiam a atenção de maneira intrigante, parecendo deixar Tibor enfeitiçado. Seus cabelos eram trançados ao estilo rastafári e ela tinha colares coloridos pendurados no pescoço moreno.

Mas o semblante da mulher era triste e isso cortou o coração de Tibor. Um sentimento de compaixão apoderou-se dele, dando-lhe grande vontade de ajudar a moça no que ela precisasse.

Ela abriu a boca e uma música encheu o ar ao redor. Tibor entrou no embalo da música e sentiu o impulso de ir até ela, como se algo o impelisse a entrar na água. Pensou, então, por um momento, que não deveria entrar na água atrás daquela mulher, como se um sexto sentido o alertasse de um perigo iminente.

O pressentimento falou mais alto, Tibor largou a vara de pesca e correu para a margem, sem saber muito bem por que tinha feito aquilo. Virou-se para a mulher e a viu mergulhando de volta ao fundo da lagoa. A última coisa que viu foi seu rabo de escamas negras agitando a água, antes de sumir.

Rurique reapareceu e viu Tibor olhando, pasmado, para o lago.

— O que foi? O que aconteceu? — perguntou.

Tibor sacudiu a cabeça como se acordasse de um sonho.

— Nada... — respondeu, sem saber direito o que tinha visto. — E o peixe, encontrou?

Rurique fez que não com a cabeça, mas Tibor, sem entender por que, já sabia que não havia peixe nenhum, antes mesmo de o amigo responder.

— Vamos voltar para o sítio — disse o amigo, tirando a vara de Tibor da água. — Deve ser por isso que ninguém vem pescar aqui de quinta-feira, os peixes devem dormir nesse dia — brincou Rurique, mas Tibor não riu.

Voltaram para o sítio dos pais de Rurique, deixaram as varas de pesca e despediram-se deles.

— Ei, já que estamos por perto, poderíamos dar uma passada no sítio da família Bronze e fazer uma visita para Málabu. O que você acha? — sugeriu Rurique.

Tibor concordou, achando mesmo que seria uma boa ideia. O caseiro poderia contar a eles para que serviam os remédios que Gailde tinha lhe dado.

Chegaram ao portão da família Bronze e bateram palmas, mas ninguém atendeu.

— Devem ter saído — concluiu Tibor.

Quando estavam desistindo, ouviram um piar alto de coruja.

— Ei, olhe aquilo ali! — exclamou Rurique, assustado, apontando para uma coruja cinza, empoleirada no telhado da casa dos fundos do sítio. — Tem uma coruja piando em cima da casa de Málabu!

— O que tem isso? É só uma coruja! — disse Tibor.

— Só uma coruja? — repetiu Rurique. — As corujas não costumam ficar voando por aí durante o dia. Na quaresma, quando uma coruja pia no telhado de alguém, ela está anunciando a morte do dono da casa.

— Vai ver que essa só desistiu de dormir — sugeriu Tibor. — E se a gente espantar ela de lá? O que acontece?

— Podemos não mudar nada ou podemos estar salvando a vida de Málabu — disse Rurique, olhando para Tibor. — Devemos isso a ele.

Tibor concordou e, juntos, muniram-se de pedras e pularam o portão do sítio da família Bronze.

Tibor jogou a primeira pedra, que passou bem longe da coruja. Rurique quase a acertou, mas a coruja só olhou para a telha em que a pedra acertou e voltou a piar mais alto.

— Na verdade, acho que não me sinto bem jogando uma pedra num pássaro. — disse Tibor.

— Não precisa jogar na coruja. Joga pertinho, só pra ela voar pra longe.

Foi só na terceira pedra arremessada que conseguiram, de fato, espantá-la. A pedra de Tibor, sem querer, passou raspando pela coruja, que se assustou e partiu num voo rápido.

Os meninos chamaram por Málabu, agora da porta da casa dele, mas, como da primeira vez, ninguém atendeu.

— Ele não deve estar em casa mesmo — concluiu Rurique.

Já tinham pulado o portão e estavam do lado de fora do sítio quando se viraram e deram com a coruja empoleirada no telhado do caseiro outra vez.

Os meninos entreolharam-se, perplexos, e pularam o portão novamente.

— Ô, sua coruja coisa-ruim! Vá cantar em outro lugar! — gritou Rurique.

Conseguiam espantar a coruja, mas ela continuava voltando.

A atitude do pássaro era incomum. Assustados, acharam melhor voltar para o sítio de Gailde e pedir ajuda a ela.

Já passava das duas da tarde quando os meninos chegaram ao sítio e Gailde apareceu, preocupada, na varandinha da frente da casa.

— Achei que tivesse acontecido alguma coisa com vocês! — disse ela, com as mãos na cintura.

Contaram sobre a pescaria e a coruja, mas Tibor nada falou sobre a aparição na lagoa, mesmo porque não tinha certeza do que tinha visto.

Mais tarde, na cozinha, rodeada pelos netos e por Miguel, Gailde explicou que não adiantaria nada tirar a coruja de lá, se ela significasse um prenúncio. A ave seria só a mensageira da morte, e não a morte em si.

— Málabu está com uma doença difícil de curar. Ele parecia bem naquele dia que esteve aqui, mas, vez ou outra, o mal volta a atacar. Não acredito que isso o leve à morte, talvez a coruja seja uma mera coincidência nessa história toda. Sei que ele não está em casa, pois me contou que faria uma viagem, para se tratar, e voltaria só depois que a quaresma terminasse. Eu mesma preparei alguns remédios a mais, para que ele pudesse levar nessa viagem — disse ela, enquanto colocava pedaços de bolo de cenoura num pote de plástico. — O que podemos fazer é pedir proteção para ele e vibrar para que fique bem. — Ela tampou o pote e colocou-o numa mochila. — Muito bem! Agora, mudando de assunto. Acho que não há mais sentido em mantermos nosso amigo, Miguel Torquado, aqui no sítio, em observação. Acho que já não há mais vestígios do veneno no corpo dele e considero-o curado.

Miguel abriu um sorriso, satisfeito.

— Estou providenciando uma mochila com comida e bebida para que amanhã, "depois das tarefas" — ela enfatizou —, vocês o acompanhem até a casa dele, já que estou idosa demais para uma caminhada tão longa e Málabu está muito longe para levar o menino até lá. Tudo bem para vocês? — Todos responderam que sim, pois queriam mesmo conhecer o vilarejo onde Curupira um dia travou sua batalha com a bruxa desaparecida. Os meninos já vinham demosntrado à avó, o interesse em ir até a Vila Guará. — Só se lembrem bem de uma coisa. Enquanto estiverem por lá, não ousem procurar pelo Oitavo Vilarejo! — disse ela, olhando para Miguel, como se a maior responsabilidade fosse dele, por ser o mais velho e morar próximo ao lugar. Então a expressão severa desapareceu do seu rosto e ela abriu um sorriso. — Mas, enquanto não partem, façam com que nosso convidado aproveite seu último dia aqui no sítio!

E eles não perderam tempo. Logo pegaram o hóspede pelo braço, levaram-no para fora e deram um banho de mangueira nele, que aproveitou a brincadeira e molhou todo mundo também.

Depois de muita diversão, ao cair do dia, o sol pintou o céu de magenta a roxo. Quando se pôs, o roxo escuro tomou conta e rapidamente o céu ficou negro como breu.

A lua, agora quase cheia, assumiu seu posto no teto estrelado e limpo, e brilhou azulada sobre todos os sete vilarejos.

II

DU AVESSU

Tibor despertou com o cantar do galo. Levantou-se e acordou Rurique, que balbuciou algumas palavras sem sentido antes de abrir os olhos.

Rurique encarregou-se de acordar Miguel que, apenas com o toque da mão do menino, soltou um suspiro rápido, abriu os olhos e sentou-se na cama, tudo isso numa fração de segundo. Rurique até deu um pulo para trás de susto, com a reação do garoto.

Tibor encontrou a irmã no corredor. A menina escovava os dentes ali mesmo e disse que estava indo acordá-los.

— Achei que não tivessem escutado o galo cantar — disse ela com a boca cheia de espuma.

— Não perco essa viagem por nada! — falou Tibor.

Todos se aprontaram e, quando desceram, Gailde já estava com o café da manhã pronto.

Dois sabores diferentes de geleia para as torradas, café e achocolatado, e biscoitos de leite. Tibor sempre se surpreendia com a variedade de coisas que havia nas refeições do sítio. Alimentaram-se bem e Gailde trouxera-lhes a mochila que havia preparado na noite anterior. Parecia mais cheia. Com toda certeza, ela já tinha dado seu toque final naquela manhã.

Depois dos últimos preparativos, saíram pela porta da frente, enquanto Gailde lhes desejava boa viagem. O sol não havia aparecido, portanto o céu ainda estava escuro, o que dava a impressão de estarem vivendo uma extensão da noite anterior.

Desciam os degraus da varandinha quando a avó chamou Tibor e Sátir de volta. Eles foram até ela, enquanto Rurique e Miguel aproveitavam para disputar uma última luta de espadas.

— Preciso pedir uma coisa a vocês e isso é muito sério — disse Gailde para os netos, que a olhavam atentos. — Pressinto que algo esteja para acontecer, crianças. Não sei por quê. Não vejo maldade nesse menino, mas sinto que os acontecimentos vindouros podem estar, de certa forma, ligados a ele. — Sátir olhou de esguelha para Miguel, medindo-o de cima a baixo, tentando perceber algo suspeito. — O que peço a vocês, nessa viagem, é cuidado! Por serem bisnetos de quem são, existem seres que adorariam se livrar de vocês. É claro que pode ser apenas coisa da minha cabeça, mas esses motivos quase não me deixaram permitir que vocês pegassem a estrada. Se é o que querem, não vou segurá-los no sitio. — Ela acariciou o rosto dos dois. — Amo vocês. Façam uma boa viagem.

Tibor e Sátir deram um abraço apertado na avó e juntaram-se aos dois amigos. Os quatro passaram pela porteira e seguiram pela trilha que levava à Estrada Velha.

Tibor deu uma última olhada no sítio e viu a avó na varandinha, acenando para ele. Percebeu que tinha o mesmo pressentimento que a avó. Suspeitou que Miguel já estivesse bom para viajar desde que acordou do sono imposto pelo veneno do sacrifício, mas que a avó o manteve no sítio para poder vigiá-lo de perto.

Chegaram à Estrada Velha e, ao invés de descê-la, como faziam para ir até a casa de Rurique, começaram a subi-la em direção à outra estrada, que os levaria à Vila Guará.

Andaram pela Estrada Velha por dez minutos, antes de os primeiros raios de luz despontarem no horizonte, atrás das colinas. Tibor podia ver a neblina cobrindo as montanhas ao longe.

— Como é a sua casa, Miguel? — quis saber Sátir.

— Minha casa? É uma casa comum, nada de mais. Tem porta e janela, se é o que quer saber — falou ele.

— Quanto tempo mesmo dá de viagem até lá? — perguntou Rurique.

— Bom, se seguirmos neste ritmo, com sorte chegamos lá ao anoitecer, mas, se chegarmos amanhã pela manhã ainda estaremos fazendo o percurso em um tempo bom.

— Você deve ter sofrido muito nas mãos dos trasgos, não é mesmo? — começou Tibor. — Puxa vida! Foi raptado e colocado num saco na Vila Guará e só tiraram você de lá quando chegou na frente do moinho, na Grande Floresta da Vila do Meio. Um percurso bem longo para ficar dentro de um saco, não acha?

Miguel Torquado apenas assentiu. Chegavam, agora, à outra estrada.

— Esta é a Estrada Viena — explicou Miguel. — Ela vai direto até a Vila Guará e lá estaremos perto de casa. É a mais longa estrada da região, e passa em todos os vilarejos.

Andaram na estrada por muito tempo até sentirem vontade de parar para lanchar. O sol já estava alto, quando se sentaram na beira da estrada e tiraram da mochila um sanduíche de queijo e presunto para cada um. Sátir serviu refrigerante a todos, em copos de plástico, enquanto ainda estava gelado. Ficaram ali por quase quinze minutos, descansando as pernas. Depois guardaram e limparam tudo antes de prosseguir.

A estrada não era reta; pelo contrário, tinha muitas curvas. E Tibor imaginou que, se ela não fosse tão sinuosa, pouparia meio dia de caminhada. Já sentia o cansaço começar a dominá-lo e desejou ser um gigante para pegar a estrada nas mãos e endireitá-la.

No caminho conversaram sobre diversos assuntos, cantaram músicas e contaram piadas. Por mais que a avó os tivesse alertado de algo com relação a Miguel, Tibor já duvidava que o garoto estivesse escondendo algo ou fosse aprontar alguma coisa com eles. Talvez o que sentisse com relação a ele não fosse desconfiança, mas também não conseguiu achar outro significado para o tal aviso em seu peito.

O sol caiu rápido pelo céu, como se a última parada para descansar houvesse ocorrido há meses, pois já estavam famintos e exaustos novamente. Descansaram à sombra de uma árvore e comeram mais um sanduíche. Mais quinze minutos de descanso e estariam prontos para caminhar um pouco mais. A não ser, talvez, por Rurique, que já vinha reclamando de bolhas nos pés.

Já estavam de volta ao seu percurso quando Miguel comentou que gostaria que conhecessem o xamã, de quem ele cuidava.

— Ele é um sábio! Mas já está velho e precisa de cuidados. Nem imagino como se virou sem mim por todo esse tempo em que fiquei fora.

— Um sábio? — interessou-se Tibor.

— Sim! Podem achá-lo meio biruta à primeira vista, e ele pode até mesmo estar um pouco nos últimos tempos, mas não se enganem! Já está aqui por essas terras há muito tempo. Muito do que sei sobre as matas, foi ele quem me ensinou — disse Miguel.

Tibor, por um momento, imaginou como seria o seu bisavô se ainda estivesse vivo. Seria também uma espécie de sábio da floresta?

Andaram um pouco mais, até que o sol foi dando adeus àquele sábado, com a sensação de missão cumprida. A lua se fez presente e, apesar de quase cheia, ainda era crescente.

— Estamos quase chegando — anunciou Miguel. — Já dá pra ver, à frente, as luzes da Vila Guará.

Todos puderam ver, mas estavam cansados demais para se animar. Rurique ansiava por um copo d'água, pois tanto a água quanto o refrigerante que levaram já tinham acabado. Sátir imaginava um sofá bem macio onde pudesse descansar as pernas. Tibor estava começando a ter sono e não conseguiu reprimir um bocejo, enquanto olhava para as luzinhas brilhantes ao longe.

Bem antes de chegarem à entrada da Vila, Miguel fez uma curva e entrou na mata à direita da Estrada Viena.

— É por aqui.

— Ei, espere! — disse Tibor, despertando de sua sonolência. — Como assim, é por aí? A Vila é pra lá.

— É — emendou Sátir. — Onde pensa que vai?

— Calma aí, pessoal! — disse ele, reaparecendo por entre os arbustos e encarando-os, confuso. — Não estou levando vocês para nenhum lugar perigoso, se é o que estão pensando. Aqui já faz parte da Vila Guará. Estou levando vocês para onde moro. E é por aqui. O caminho é esse, venham! — E desapareceu por entre duas árvores.

Tibor e Sátir entreolharam-se.

— Tudo bem, desde que tenha água gelada lá — disse o menino magricela. E Rurique resolveu acender primeiro sua lanterna com figurinha de onça-pintada, seguindo pelo mesmo caminho que Miguel.

Depois de entrarem na mata, Tibor notou que a vegetação do lugar era diferente da Grande Floresta da Vila do Meio. Parecia seca.

Enquanto andavam pelo mato, Tibor começou a sentir a pontada de desconfiança despertar.

— A casa do xamã fica uns quinze minutos mais à frente — avisou Tork.

— Espere um pouco aí! — falou Tibor, parando e apontando sua lanterna para o menino. — Você não disse que morava com seus pais?

— Não — respondeu ele.

— Disse, sim. Contou que seus pais não estavam em casa, quando os trasgos entraram no seu quarto e levaram você aquela noite. — Sátir lembrava-se muito bem do que Miguel tinha dito e percebeu que as informações não batiam.

— Ei! O que há com vocês, pessoal? — reclamou Miguel. — Por que estão agindo assim? Fiz algo para duvidarem de mim? Estamos juntos há dias. Vocês salvaram a minha vida e sou grato por isso.

Rurique também não entendia por que Tibor e Sátir estavam desconfiando tanto de Miguel.

— Prestem atenção, vou esclarecer melhor: meus pais têm uma casa na Vila Guará, onde passo meus dias de folga, mas eles nunca estão lá, pois moram na cidade grande já faz um bom tempo — explicou ele, fixando os olhos cor de mel em cada um deles. — Eu tenho morado na casa do xamã, pois tomo conta dele o tempo todo. O dia em que fui raptado, era meu dia de folga e eu estava na casa de meus pais. Entenderam? Não estou enrolando vocês — garantiu ele, perplexo.

— É — disse Sátir, olhando para o irmão. — Faz sentido.

— Podemos seguir viagem, então? — perguntou Rurique. — Estou seco por dentro, preciso de água o quanto antes ou vou rachar no meio.

Com certa relutância, Tibor desculpou-se por agir daquela forma com o novo amigo, inventou que estava com receio de andar na mata fechada e continuaram a andar.

Tibor conseguia ver as luzes da Vila Guará por entre as árvores e não estava satisfeito com a ideia de se afastarem da civilização. Já tinha tido lições demais que provavam que era uma estupidez andar assim, a esmo, em noites de quaresma.

Chegaram então a um lugar em que a floresta parecia se dividir em duas. A divisão era feita por uma fenda imensa no chão, uma rachadura a perder de vista, de quatro ou cinco metros de largura. A profundidade era difícil precisar com aquela escuridão toda.

—A casa fica depois dessa fenda — informou Tork.

— Nossa! — espantou-se Rurique, ao apontar a lanterna para a fenda sem conseguir ver o fundo. — Como vamos atravessar isso aí?

— Calma, pessoal! — tranquilizou-os Miguel. — Faço sempre este caminho para chegar ao xamã.

— Por que ele mora num lugar tão afastado assim? — quis saber Tibor.

— Simplesmente porque ama a natureza — respondeu Miguel, com um sorriso.

Se fosse esse, de fato, o motivo que levara o xamã a preferir viver isolado da civilização, ele não seria muito diferente da avó, que morava num sítio na beira de uma floresta, ou dos seus pais, que tinham decidido largar tudo para morar num acampamento cigano.

Eles acompanharam a enorme fenda por mais alguns minutos, até chegarem a uma ponte, que à primeira vista não parecia ter nada de mais. Se Miguel não os impedisse de prosseguir, iriam passar por ela sem ver o perigo que corriam.

— Esta ponte se chama Du Avessu — explicou, parando em frente à ponte e olhando para os três com as sobrancelhas cor de palha arqueadas. — Ela tem esse nome porque seu campo gravitacional é ao contrário.

— Hã? — indagou Rurique, perplexo.

— Vejam só.

O garoto pegou uma pedra e jogou-a na ponte. Ao bater no chão, a pedra subiu ao invés de cair. Todos viram a pedra se elevar na direção do céu até desaparecer de vista.

— Uau! — exclamou Rurique, ainda perplexo.

— A casa do xamã fica logo depois da ponte. Vamos, não há perigo. É só me seguirem. Façam o que eu fizer! — Miguel então andou em direção à ponte, sentou-se no chão, de frente para a lateral da ponte, e colocou os pés embaixo dela. Apoiou as mãos numa corda que servia de corrimão e ficou de pé.

Todos se espantaram com a visão. Tork estava de pé, mas de ponta-cabeça, na parte de baixo da ponte.

— Venham! Garanto que não há perigo algum. — E deu uns pulinhos para provar.

— Mas e esse abismo aí? — quis saber Rurique, olhando para o buraco negro que se estendia abaixo da cabeça de Miguel.

— Pode apostar que esse abismo. — disse Tork, apontando para o céu que estava sob seus pés — é bem mais profundo.

Rurique olhou para as estrelas, aturdido, e engoliu em seco.

— Quem será o primeiro a tentar? — perguntou Miguel.

Tibor prontificou-se, mas Sátir foi à frente.

— Ei, mana. — chamou o menino.

— Aguenta aí, Tibor! Vou ver se essa coisa é segura mesmo. Se não for, você pelo menos vai ficar bem — disse ela.

— Tá bem, mas e você? Já pensou no que pode te acontecer?

Sátir não deu atenção ao irmão e foi em frente.

Seguindo o exemplo de Miguel, ela se sentou ao lado da base da ponte e apoiou os pés na parte de baixo. Miguel estendeu as mãos, para que ela se apoiasse nele, e ela se pôs de pé.

Era estranho ver a irmã daquele jeito. Nem seus cabelos pareciam estar de ponta-cabeça, pois a gravidade os puxava na direção da ponte, como se ela estivesse de pé, normalmente.

Rurique pediu para ir antes de Tibor, que não entendeu o porquê do pedido, mas concordou. Rurique posicionou-se da mesma forma que os outros dois, mas sua mão escorregou do corrimão da ponte, soltando sem querer a lanterna com figurinha de onça.

Tibor achou a imagem perturbadora. Rurique já de pé na ponte e a lanterna girando em direção ao céu, iluminando a copa das árvores, em direção às estrelas, mais precisamente na reta das Três Marias, até sumir.

Chegou então a vez de Tibor, que seguiu o mesmo procedimento. Segurou o corrimão e impulsionou o corpo, colocando-se de pé. Era definitivamente uma sensação estranha. Ele olhava para cima e o que via era um abismo negro acima de cabeça, então olhava para baixo e via um céu estrelado sob seus pés. Olhava para a floresta e as árvores todas estavam de ponta-cabeça, como se crescessem para baixo. A visão era nauseante e causava certa tontura.

Os três andaram ao longo da ponte, tomando cuidado com cada passo que davam. Estavam andando embaixo dela, como se estivessem na parte de cima.

Quando chegaram à outra extremidade da ponte, da mesma maneira que entraram, tiveram que sair. Tibor, que tinha saído por último, sentiu o ponto exato onde a gravidade se invertia. Era como se entrasse num portal para outro lugar. Uma sensação bem diferente e esquisita, mas com certeza uma experiência única.

12

SEU ICAS

Quando acabaram de atravessar a ponte, estavam em terra normal de novo. A mata seguia à frente e mais adiante viram uma cabana em meio às árvores.

— Ali está a casa do xamã, o Seu Icas — disse Miguel todo feliz.

Seu bisavô moraria numa cabana se ainda estivesse vivo?, indagou-se Tibor.

À medida que se aproximavam, perceberam que a cabana era feita inteiramente de bambu, apesar de não haver nenhum bambuzal por perto. Uma luz fraca laranja bruxuleava pelo buraco de entrada da cabana, que não tinha portas nem janelas.

— Você disse que sua casa tinha portas e janelas — pontuou Sátir, para Miguel.

— Já disse que essa não é minha casa. Eu só moro aqui para tomar conta do xamã — esclareceu Miguel. — Seu Icas? — chamou o menino, entrando na cabana.

— Êh-êh! — soou uma voz vinda do mato à frente. — Tô aqui, menino.

Tibor viu um senhor de cabelos curtos e brancos, e pele bem escura, vindo de muletas na direção deles.

— Cheguei — anunciou Tork.

— Êh-êh! Menino Tork se atrasô. Muito, muito! — reclamou o homem de muletas.

Tibor não entendeu muito bem a reação do tal Icas. E o sotaque diferente do velho chegou a causar um arrepio em Tibor. Quando dizia "Êh-êh", o primeiro "êh" tinha uma nota aguda e o segundo, uma nota grave.

— Desculpe, senhor! — disse Miguel, submisso. — Passei uns apuros. Eles me salvaram. — Então abaixou a cabeça, mostrando respeito pelo velho.

O xamã encarou Tibor e Sátir por um tempo, depois virou-se para Tork, dizendo com o dedo apontado para Rurique:

— O que o magrinho faz aqui na cabana do Icas? Êh-êh! Os outros dois eram esperados, mas esse aí era não.

Tibor achou aquela observação bem estranha e imaginou se o tal xamã também seria algum tipo de adivinho.

Rurique remexeu-se, preocupado, mas não disse nada. Mesmo se quisesse, não saberia o que dizer, então deixou que Miguel falasse por ele.

— Ele é um dos que me salvaram do perigo, Seu Icas — explicou Miguel. — Cuidaram de mim enquanto fiquei acamado e me fizeram companhia no caminho até aqui. Este é o Rurique, aquele é o Tibor e esta é a irmã dele, Sátir — disse o menino, apresentando os novos amigos. — Eles podem passar a noite aqui? Fizemos uma viagem longa e cansativa e amanhã eles farão o mesmo trajeto de volta.

— Êh-êh! — começou o velho. — Sabe que num gosto de visita.

— Eu sei, senhor. Mas eles fizeram isso por mim e devo isso a eles.

O tal xamã pareceu ponderar as razões do garoto. Foi até Tibor e Sátir, mas ignorou Rurique por completo.

— Têm fome, ocês? — perguntou o velho.

Os irmãos fizeram que sim com a cabeça, mas Tibor duvidava que o velho pudesse oferecer algo de bom para comer.

Icas fez sinal para que o seguissem e entrou na cabana de muletas e, só quando ficou na frente da luz bruxuleante da vela acesa dentro de casa, é que Tibor percebeu que o velho não tinha uma das pernas.

Miguel foi até os meninos e disse:

— Desculpe, pessoal! Achei que a recepção dele seria diferente, mas ele não vê pessoas há um bom tempo, então... me desculpem.

— Tudo bem — disse Tibor, achando que o melhor a fazer seria irem embora dali naquela noite mesmo. Não tinha ido nem um pouco com a cara do xamã.

Entraram todos na cabana e se sentaram no chão. A única cadeira que havia ali foi ocupada pelo Seu Icas.

Miguel remexeu nuns caixotes e tirou dali algumas coisas para comerem, como amendoins e castanhas-de-caju, do Pará e de baru.

— Desculpe. Como estive fora por todos esses dias, não pude renovar o estoque de comida.

— Tudo bem, desde que você tenha água! — disse Rurique.

Icas fuzilou o menino com os olhos e Rurique desviou os dele, imaginando se tinha sido grosseiro. Tratou logo de corrigir:

— Adoro castanhas, mas às vezes gosto mais de água. — Mas percebendo os olhares dos amigos, resolveu ficar quieto.

— Tem água, sim — confirmou Miguel, servindo a Rurique um copo d'água de uma jarra de barro que estava no chão. — Está bem fria, o barro conserva a água fresca.

— Vocês dois vivem aqui? — perguntou Sátir, reparando na cabana inteira e achando tudo ali muito pequeno, até para uma pessoa só morar.

— Sim — confirmou Miguel, prontamente.

Sátir notou que o lugar não tinha cama.

— Menino Tork dorme lá — disse Icas, de repente, apontando para um canto com palha amontoada.

Tibor percebeu que os olhares do velho não se desviavam dele e da irmã, como se tivesse um interesse incomum nos dois. Isso o perturbava.

Comeram todo o amendoim e toda a castanha, também quase acabaram com a água da jarra, mas mesmo assim a fome e a sede ainda faziam a barriga doer muito. Se soubessem como seria escassa a refeição na casa do tal xamã, teriam economizado a comida da mochila no caminho até ali.

— Qué durmi, menino? Qué? — perguntou Icas para Tibor. — Êh-êh! Vejo seu olho, fechando depressa.

Aquele "Êh-êh" estava irritando Tibor.

— Não, obrigado! — respondeu ele, visivelmente incomodado.

Seu Icas fez um sinal para Miguel, que entendeu e tirou de dentro de um caixote um cachimbo e um pacotinho de fumo. O velho muniu o cachimbo com o fumo e acendeu-o com a vela ao lado, a única fonte de luz do lugar.

— Floresta perigosa na quaresma! — comentou o velho, dando uma puxada no cachimbo. — Quaresma perigosa na floresta! — emendou. Então soprou a fumaça, enchendo o barraco de bambu com o cheiro forte de fumo.

Sátir tossiu e sussurrou para Tibor:

— Já senti esse cheiro antes, mas não me lembro onde.

— Menina num gosta de meu fumo, não? — quis saber o velho. — Tosse feito bode, tosse!

Todos ficaram em silêncio, então resolveram sair da cabana para olhar a mata ao redor. Não se ouvia nem um grilo, nem uma cigarra, nem uma coruja. Parecia que a mata não tinha vida. De lá de dentro, puderam ouvir o velho repetir:

— Êh-êh!

— Se quiserem dormir, separei um montante de palha para cada um usar como travesseiro — avisou Tork, antes de entrar novamente na cabana, para atender ao velho, que o chamou.

— Estranho esse Icas, não acham? — perguntou Rurique para Sátir e Tibor.

— Diz que isso é piada! — comentou Rurique.

— Pessoal, estou com vontade de ir embora para o sítio. E ainda hoje — avisou Tibor.

— Apoio essa ideia — concordou Sátir, baixinho.

Tork saiu da cabana de novo, dizendo:

— O Seu Icas disse para passarem a noite aqui. A lua está está quase cheia e o lobisomem já tem rondado por aí. — Os três encararam Tork, surpresos. — Não se preocupem! O bicho não sabe atravessar a Du Avessu, estamos seguros aqui esta noite! — E voltou para dentro da cabana.

— Será que falei alto demais sobre irmos embora? — sussurrou Tibor para os amigos.

— Não sei! Vai ver ele é adivinho, por isso é chamado de xamã — disse Rurique, mostrando que estava com as mesmas suspeitas que Tibor.

— Ou talvez esteja estampado na nossa cara que estamos loucos para sair deste lugar esquisito! — disse Sátir.

Tibor achou a conclusão da irmã mais sensata que a dele e a do amigo, apesar de já não duvidar de mais nada. Nesse momento, os três escutaram um uivo alto nos arredores e resolveram entrar depressa na cabana.

Cada um se deitou no chão de terra com a cabeça apoiada num montinho de palha, que pinicava o pescoço. Tibor achou que seria bem difícil dormir. Virou-se de um lado, virou-se de outro, e ficou assim por um bom tempo. Por fim, sentou-se, insone.

Seu Icas estava sentado na cadeira bem na frente de Tibor, pitando seu cachimbo, perdido em pensamentos.

— E então, Seu Icas! — começou Tibor. — Por que chamam o senhor de xamã?

O velho deu uma pitada longa no cachimbo, parecendo irritado por interromperem seu momento de reflexão. Então encarou o menino e respondeu secamente:

— Porque sô um!

Tibor apenas assentiu e desistiu de puxar conversa com o xamã. Mas o homem tirou o cachimbo da boca e foi se aproximando do rosto do garoto. Ficaram cara a cara. Então arregalou os olhos e Tibor pôde ver que eram levemente avermelhados:

— Sô mágico, menino! — disse.

Tibor balançou a cabeça, querendo dar a impressão de acreditar, mas, o velho parecia mais um maluco do que um mágico, que dirá um sábio.

— Robaro meus poder. Êh-êh! Uma bruxa veia. Robaro sim. E eu quero di volta!

Tibor pensou em suas tias-avós, enquanto Icas se recostava na cadeira e olhava para ele meio de lado, como se pudesse ver seus pensamentos se formando na cabeça.

— Êh-êh! Ocê sabe quem é, num sabe? Ela escondeu meus poder de mim. Quero di volta, mas num posso tê! — disse ele, ficando em silêncio por vários minutos. Enquanto isso o garoto ficou admirando a parede de bambu da cabana, pensando se valia a pena puxar assunto de novo, visto que não conseguia dormir.

— Me fale do lobisomem. Quem é ele? — arriscou perguntar. — O que ele faz?

— Um lobo-homem; é, sim! Faz mal pros outros; faz sim! Mas num é homem mau; não, sinhô, é não! — Então chegou mais perto de Tibor, deu outra tragada no pito e falou pausadamente: — Foi amaldiçoado! Êh-êh, se foi! Ocê já viu coisa-ruim por aí, que eu sei. Êh-êh! Sei sim! Conta pro veio o que ocê viu, conta!

Tibor achou que não havia problema em contar sobre a velha do pé grande e a invasão do sítio do fazendeiro Pereira.

Depois de contar tudo, o menino percebeu Icas fascinado com a história toda e achou, finalmente, que estava quebrando o gelo entre eles.

— Por acaso é essa a bruxa que roubou seus poderes? — quis saber Tibor, já que o velho mostrou-se bem interessado no assunto.

— Foi não! É outra bruxa veia. — E um sorriso desenhou-se em sua boca, como se ele gostasse do rumo que a conversa tomava.

— Talvez a Cuca? — tentou Tibor.

O sorriso matreiro do velho sumiu. Icas encarou-o, desconfiado por um tempo e, em vez de responder, deu outra puxada no cachimbo, olhando para o teto da cabana. Permaneceu assim, como se estivesse remoendo lembranças do passado.

— Provavelmente foi ela — continuou o menino, despertando a atenção de Icas novamente. — Essa maldita bruxa parece fazer mal para todas as pessoas que conheço. Um dia ela vai pagar por isso.

O velho olhou-o de baixo a cima, como Sátir tinha costume de fazer quando estudava alguém.

— Vai durmir, menino besta! — ralhou o velho, irritado. — Tá falando muito; já tá sim! Seus colega que são inteligente, já tão durmindo; tão sim! Êh-êh!

Tibor não gostou de ser chamado de besta, mas olhou para os lados e percebeu que Rurique, Miguel e Sátir já estavam mesmo dormindo. Queria ficar acordado, mas o velho encerrou a conversa, soprando a única vela do cômodo. O menino ainda viu o cachimbo iluminar-se no escuro com mais umas pitadas fundas do velho. A cada pito, a brasa iluminava o rosto escuro do xamã, intensificando o vermelho de seus olhos, pregados em Tibor. Sentindo um calafrio, o menino tentou se forçar a dormir.

O sol já estava quente no dia seguinte quando Tibor acordou, sentindo o corpo todo dolorido, principalmente o pescoço. Tinha dormido de mau jeito. Seu Icas não estava mais ali, sua cadeira estava vazia. Miguel também não estava na cabana.

Tibor acordou a irmã e o amigo.

— Vamos, pessoal! Já é hora de ir embora. Já é dia.

O estômago de Tibor roncou alto, quando saiu do chalé, todo suado. Ainda estava com muito sono e com certeza dormiria bem mais se o bambu não deixasse a cabana um forno e o calor ali dentro não fosse tão insuportável.

Quando Tibor viu a floresta à luz do sol, constatou que era feia. Nunca tinha visto uma floresta tão feia como aquela. A maioria das árvores estava seca, sem folhas ou galhos que filtrassem os raios de sol. O chão parecia seco também, como se a chuva não visitasse aquelas partes da Vila Guará há meses. O mais estranho era a falta do canto dos passáros. Num passado distante, seus pais tinham lhe ensinado a identificar algumas aves. Já tinha visto algumas no sítio de Gailde. *Mas ali, onde estavam os colibris e os sabiás? Os periquitos e os bem-te-vis?* Aquela floresta era estranhamente macabra.

Ao olhar ao redor, Tibor viu Miguel trazendo uma jarra com água e, a seu lado, o velho de muletas, andando com dificuldade.

Tibor entrou na cabana só para pegar rapidamente sua mochila. Quando saiu, Miguel ainda estava a certa distância, mas o seu Icas já tinha cruzado o terreno e estava sentado num tronco, bem próximo de onde ele estava. Tibor fitou o velho com um olhar confuso. Como havia chegado ali tão rápido? Notou as duas muletas de bambu recostadas à árvore ao lado dele e coçou os olhos, achando que a vista estava embaçada e não estava enxergando as coisas direito por causa do sono.

— Bom dia, Miguel! — cumprimentou Tibor, enquanto Rurique e Sátir deixavam a cabana. — Acho que está na hora de voltar pra estrada. — E se virou para o velho: — E obrigado por deixar a gente passar a noite na sua casa.

O velho fez um aceno de cabeça, mas não disse uma palavra.

— Bebam um pouco de água, antes de irem embora — ofereceu Miguel. — Devem estar com sede, sinto não ter um café da manhã melhor para servir.

Tibor entendia agora por que o menino comeu o arroz de preguiçosa da avó com tanto gosto. Não havia como fazer uma boa comida ali naquela cabana.

Depois de beberem a água da jarra toda, Miguel disse que os levaria até a ponte e, de lá, seguiriam viagem sem ele.

Antes de saírem, porém, o velho chamou Miguel de lado e cochichou em sua orelha, da mesma forma que Gailde tinha feito com os netos, no momento em que deixaram o sítio. Enquanto isso, Tibor, Rurique e Sátir observavam sem jeito, esperando-o para ir embora.

Miguel levantou os olhos esboçando um ligeiro espanto, quando Icas terminou de falar à sua orelha. Miguel despediu-se do velho com um "até logo" e partiu.

O velho acenou, enquanto se distanciavam, e Tibor ainda pôde ouvir um *"Êh-êh!"* ao longe.

— O que foi que ele cochichou que deixou você espantado? — quis saber Tibor, no momento em que chegavam à ponte.

— Espantado? Não fiquei espantado — disse o menino. — Ele disse que não tinha perigo nenhum em seguir viagem agora, pois o lobisomem só sai à luz da lua cheia e que eu parasse de me preocupar, pois vocês iam ficar seguros no caminho de volta.

Mas Tibor desconfiou que o garoto estivesse mentindo sobre o que o velho lhe disse. *Ora, todas as histórias dizem que o lobisomem só sai nas noites de lua cheia, por qual motivo Seu Icas teria de lembrar Miguel disso?* Mas resolveu não comentar nada; estava doido para chegar logo ao sítio e comer as comidas da avó.

Despediram-se do amigo com abraços e passaram pela ponte de ponta-cabeça, deixando Miguel para trás.

— Obrigado, amigos! Por tudo. Deem um alô à sua avó, por mim! — gritou ele do outro lado da ponte. — Espero rever vocês em breve.

Apesar de o menino não ter feito nada de errado para ele, ao se distanciar Tibor sentiu o aperto em seu peito aliviar. Era como se estivesse mais tranquilo e um peso em suas costas deixasse de incomodá-lo. Não queria ser ingrato, mas não desejava o mesmo que o amigo Miguel. Sentia no coração que não queria vê-lo novamente, pelo menos não tão cedo. A avó lhe disse para seguir sempre o coração, portanto tentaria evitá-lo, ao máximo.

13

RAPTO A GALOPE

Saíam, agora, da floresta seca e entravam na Estrada Viena novamente, seguindo o caminho inverso da noite anterior, rumo ao sítio.

Tibor olhou para trás e percebeu que, se quisessem ir à Vila Guará, ainda teriam de andar um bom trecho.

— É, não vai ser desta vez que vamos conhecer esse vilarejo — conformou-se ele. — Não vou desviar do caminho do sítio de jeito nenhum, ainda tenho umas horas de sono pra dormir e pretendo fazer isso hoje, na minha cama. A cabana de bambu do tal xamã não era lá muito boa para dormir, não é mesmo?

— É. — Aquela foi a única coisa que Rurique conseguiu dizer, de tão cansado que estava.

O sol castigava-os com um calor abrasador e eles logo quiseram parar para descansar.

— Pessoal, quanto menos pararmos no caminho, mais cedo chegaremos no sítio — incentivou Tibor.

Isso era verdade e serviu de estímulo para que continuassem andando. Mas, sempre que viam a sombra de uma árvore, passavam por debaixo dela para se refrescar, ao menos um pouco.

Sátir já tinha vasculhado todos os bolsos da mochila várias vezes, em busca de alguma coisa comestível que pudessem dividir entre eles. Embora nunca achasse nada, não desistia e continuava revirando a mochila com esperança de encontrar alguma coisa.

A certa altura, tiveram de admitir que não era mais só uma questão de "querer" descansar... "Precisavam" de descanso. Então pararam à beira da estrada, embaixo de uma quaresmeira encaroçada e robusta. Sua sombra era perfeita. Ansiavam por um gole d'água, mas sabiam que teriam de percorrer todo o caminho sem nem um pingo dela.

Depois de uns vinte minutos, continuaram o trajeto, relutantes. Rurique já andava com a língua para fora, como um cachorro cansado. Tibor não duvidaria nada se olhasse para o amigo e visse apenas um vira-lata magrelo e ofegante ao seu lado.

— Muito estranho esse tal de Icas, não acham? — começou Tibor, para distraí-los.

— Ahã! — falou Rurique sem vontade.

— Como fazem para viver ali? — refletiu Sátir. — Devem passar fome todos os dias. Comendo apenas amendoim e aquelas castanhas.

— E ainda fizemos o favor de acabar com todo o estoque deles. — concluiu Tibor. — Ouviram a história que ele me contou sobre seus poderes?

— Não — responderam Sátir e Rurique, juntos.

Tibor, então, contou que o velho tinha dito que seus poderes foram roubados por uma bruxa velha.

— Com certeza deve ter sido a Cuca — continuou Tibor, categórico. — Ela está em todas as histórias.

— Por que não perguntou a ele? — quis saber Sátir.

— Eu perguntei, mas ele desviou do assunto, dizendo que eu era um besta por dizer aquelas coisas, em vez de tentar dormir.

— Ele chamou você de besta? — perguntou Rurique, achando graça.

— Chamou.

— E eu achei que ele só falava baboseira... Mas até que disse algo com razão! — disse Rurique, caindo na gargalhada.

— Ei! A única besta aqui é você! — Tibor deu um empurrão no amigo, mas também caiu na risada.

— Perceberam o sotaque esquisito que ele tinha? — perguntou Sátir.

— Minha nossa! Quase pedi que ele calasse a boca — soltou Rurique. — Mas de vez em quando ele dava medo, não acham?! Ainda bem que estamos longe de lá — disse o menino, ficando mais sério. — Não volto ali tão cedo. Isso, se um dia voltar.

E os irmãos concordaram com a observação do amigo.

Tibor e Sátir contaram a Rurique o que a avó tinha dito sobre Miguel e o menino confessou que também sentia uma pontada de desconfiança em relação ao garoto.

— Não sei por quê, mas concordo com a avó de vocês. Mas que o cara é fera na espada, ah, isso ele é! Êh-êh! — disse Rurique, imitando Seu Icas.

Todos caíram na risada.

Depois de caminhar horas de estômago vazio, sentiam-se fracos embaixo daquele sol escaldante. Rurique tentou animar os outros dois, dizendo palavras de motivação:

— Banho de mangueira!

E Tibor e Sátir exclamavam:

— Humm!

— Sorvete de limão!

— Humm!

— Sorvete de milho! Suco de laranja gelado!

— Bem gelado! — emendou Sátir.

— Pudim de leite com calda de caramelo! — continuou ele.

E assim passaram o resto da manhã e um bom pedaço da tarde brincando de se lembrar de coisas que adorariam encontrar no sítio, quando chegassem. Para cada sugestão que dessem, ganhavam um bônus de dez passos à frente, o que já era um lucro enorme.

Quando o sol começou a baixar, eles avistaram, ao longe, o começo da outra estrada.

— Ei! Estamos chegando! — disse Tibor, contente.

— Puxa, que ótimo... — Rurique já estava até falando mole.

Resolveram parar outra vez para descansar e ficaram sentados ali por mais cinco minutos até tomarem coragem para se levantar.

— Você primeiro, Tibor — disse Rurique.

— Não! Se você se levantar, eu me levanto — contrapôs Tibor.

— Vamos todos juntos no três! — disse Sátir, começando a contar. — Um, dois, três!

E os três se levantaram e começaram a andar novamente.

Apesar de acharem que já estavam perto da Estrada Velha e, dali para a frente, caminharem sem parar nenhuma vez, só chegaram na estrada quando anoiteceu. Seguiram por ela mais um bom pedaço, até fazerem uma curva e chegarem à trilhazinha que levava até o sítio de Gailde.

Chegaram à porteira do sítio com um sorriso de alívio até as orelhas, mas notaram algo estranho que os deixou preocupados.

A porteira estava escancarada.

— Dona Gailde nunca deixa a porteira aberta assim — lembrou Rurique.

Mesmo exaustos, encontraram forças para correr até a casa e encontraram a porta aberta também. Entraram e se depararam com a casa toda revirada, o espelho de frente da porta estilhaçado, os abajures da sala todos no chão e algumas cortinas arrancadas da parede.

— Parece que houve uma luta aqui! — disse Sátir.

— Vamos nos separar para procurar a vó! — disse Tibor, subindo as escadas chamando por ela.

Rurique foi para a cozinha, enquanto Sátir olhava na sala de jantar.

Tibor encontrou os quartos dele e da irmã intactos. Mas o quarto de Gailde estava uma bagunça. A cama estava quebrada e os objetos da penteadeira estavam espalhados pelo chão. O desespero, então, o dominou.

— Vó! — gritava ele, mas parecia que ela não estava ali.

Nem um minuto depois, estavam os três em frente ao espelho estilhaçado do hall de entrada.

— Acharam alguma coisa? Uma pista de onde ela possa estar? — perguntou o menino assustado aos outros dois.

— Nada — respondeu Sátir.

Então escutaram um estrondo cortar a noite, do lado de fora, e os três viraram a cabeça ao mesmo tempo.

— Esse barulho veio do curral — concluiu Tibor. — Vamos!

Correram em disparada para o curral, onde ficava a vaca leiteira Mimosa. Ao se aproximarem, a grande porta se abriu violentamente, com um coice de cavalo.

O que viram dentro do curral os deixou petrificados. Um cavalo branco, sobre duas patas, relinchava de modo ameaçador para os três. Mas mais estranho ainda é que o cavalo não tinha cabeça! No lugar dela, só labaredas de fogo.

— A mula sem cabeça! — gritou Rurique, jogando-se no chão fechando os olhos e escondendo as unhas e os dentes.

— Que imbecil! — xingou uma voz conhecida, do lombo do tal cavalo.

Era Miguel Torquado. O menino estava montado na mula, com um gorro cor de vinho nas mãos. Tibor pôde ver que também havia uma pessoa com as mãos amarradas, deitada de atravessado nas costas da mula, à frente do garoto. O menino reconheceu na hora quem era.

— VÓ! — gritou ele, mas a avó estava desacordada.

— O que pensa que está fazendo, Miguel? — perguntou Sátir, confusa.

— Lamento, mas fui obrigado a fazer isso. Juro que não queria. Só preciso dos meus irmãos de volta.

Tibor não sabia o que pensar, não entendia o que Tork queria dizer com "preciso dos meus irmãos de volta".

— Podemos ajudá-lo — disse Tibor. — Mas coloca a minha avó no chão!

Tibor percebeu que as feições de Miguel estavam fantasmagóricas e ele nem parecia o mesmo menino de quem tinham se despedido pela manhã.

— Ajudar? Vocês não entendem, não é? Vocês fizeram parte do plano, o tempo todo. E, sinto dizer, a parte de vocês acaba aqui.

— Do que está falando, Miguel? Pare com isso e solte minha avó agora! — exigiu Sátir com raiva.

— Acham mesmo que fui envenenado de verdade? Nem sei se posso ser morto mais uma vez!

— O quê? — disse Sátir sem entender nada. Então virou-se para Rurique, irritada com a covardia do menino, que ainda estava encolhido no chão. — Levante já daí!

O garoto levantou-se.

— Você é um trasgo, não é? — perguntou Tibor, sem um pingo de medo de Miguel.

— Ah! Mas você é bem esperto, Tibor! Sim, fui uma das crianças que foram levadas pela Cuca há doze anos. Quando meus pais perceberam que minha irmã, meu irmão recém-nascido e eu não voltaríamos mais, mudaram-se para a cidade grande, tentando não enlouquecer.

— Recém-nascido? — repetiu Tibor, lembrando-se da menina que tinha visto, segurando um bebê em meio aos outros trasgos. — Como você vai trazer seus irmãos de volta se estão mortos?

— Eu pareço morto para você, Tibor?

Tibor lembrou-se de Málabu contando que alguns espíritos pareciam ser capazes de se materializar por algum tempo.

— Então esse é o poder do xamã? Trazer os mortos à vida? — perguntou Tibor. — Foi o que ele prometeu a você? Seus irmãos de volta em troca da minha avó?

— Puxa, realmente, subestimei você, Tibor — disse o menino, ainda dentro do curral, onde Mimosa agitava-se com os olhos arregalados de pânico, tentando se afastar da mula.

— Você não pode estar de fato vivo, Miguel. Ninguém pode voltar dos mortos. Isso é apenas temporário. Provavelmente, só deve acontecer na quaresma, certo? — disse Tibor. — Devolva a minha avó e vamos conversar!

Tibor percebeu que o garoto pesava suas palavras com cautela, o medo de que aquilo fosse verdade estampado em seus olhos.

— Sinto muito, Tibor! Se quiser ter sua avó de volta, vai ter que buscá-la no Oitavo Vilarejo. Ela agora faz parte do plano também, já que vocês três descobriram onde o gorro estava escondido.

Tibor não entendeu a lógica do que Miguel tinha acabado de dizer. *O que o gorro tem a ver com essa situação toda?*

— Diga ao menos onde fica esse tal vilarejo! — pediu Tibor.

— Estava indo muito bem até agora, Tibor. Comecei a achar até que você era inteligente, mas vejo que não — disse Miguel. — Vou dar uma dica a vocês em nome da nossa breve amizade. — Ele se ajeitou no lombo da mula branca, sem cela, e disse: — Estiveram lá ainda esta manhã.

Foi como se um balde de água fria caísse na cabeça de Tibor. Ele tinha sido muito burro de não perceber que haviam passado a noite toda lá, no Oitavo Vilarejo. A fenda que dividia a floresta devia ser uma das proteções que o bisavô tinha colocado em volta do lugar, para impedir a saída de quem estivesse preso lá dentro. *Tinham estado no Oitavo Vilarejo! Tinham passado a noite na antiga prisão da sua tia-avó!*

Miguel não deu muito tempo para os meninos pensarem a respeito das revelações, que caíram como uma bomba sobre a cabeça dos três. A mula ateou fogo no teto do curral, no mesmo instante em que um raio cortava o céu com um estrondo, e partiu em disparada por entre os três, a galope.

Tibor só teve tempo de proteger o rosto, quando a mula passou correndo e esbarrou nele com seu corpo de assombração. O menino levantou a cabeça ainda em tempo de ver Miguel e a mula levarem a avó porteira afora.

Antes de seguirem no encalço do menino, Tibor, Sátir e Rurique precisavam apagar o fogo que tomava conta do curral. Tibor e Sátir correram até o poço e encheram baldes com água, Rurique ligou a mangueira e mirou um jato forte em direção às labaredas.

Mimosa mugia, em desespero, presa lá dentro, em meio ao inferno que tomava conta do curral. Os meninos logo correram para socorrê-la. Apagaram, com muito custo, as chamas do curral, que acabou ficando parcialmente destruído. Mas pelo menos a vaca Mimosa tinha sido salva.

Tibor sentia uma vontade absurda de esganar Miguel. Agora sabia que a avó tinha razão, quando suspeitou da índole do menino. Seu próprio coração lhe avisou, diversas vezes, que ele não era confiável.

— E agora? — perguntou Rurique.

— Temos que ir atrás daquele filho da mãe! — disse Sátir, com as roupas sujas de fuligem.

Nem parecia que tinham viajado o dia inteiro a pé, com sede, fome e sono. Correram em disparada, em direção à porteira, com a velocidade de um projétil.

— Não acham que devemos pedir ajuda? Podemos chamar o Málabu! — sugeriu Rurique, enquanto corriam.

— Não! Vamos perder tempo demais nos desviando do caminho. E Málabu está viajando, lembra? — disse Tibor. — Tenho uma leve ideia do que Miguel pretende e isso me assusta um bocado. Precisamos chegar lá o mais rápido possível!

— E quando chegarmos lá, o que vamos fazer? — perguntou Rurique, novamente.

— Não sei vocês, mas eu pretendo socar Miguel Torquado até ele ficar desacordado, como no dia em que entrou neste sítio — rugiu Sátir.

Eles correram o mais depressa que suas pernas cansadas aguentaram, em direção à estrada. Ignoraram as dores e as bolhas nos pés, mas, mesmo assim, não viram nem sinal da mula sem cabeça ou de Miguel.

Milhões de coisas passavam pela cabeça dos três. Tentaram imaginar uma forma de cortar caminho ou ir mais rápido que a tal mula sem cabeça, mas nada poderia levá-los tão depressa assim ao Oitavo Vilarejo, atrás do menino traidor.

— Droga! — disse Tibor, indignado. — Precisamos de um milagre para alcançar o Miguel a pé!

E, como se alguém, de alguma forma, o escutasse, um carro barulhento apareceu na curva da Estrada Velha, com os faróis acesos, vindo na direção deles.

Tibor conhecia aquele carro.

14

O OITAVO VILAREJO

Tibor entrou na frente do carro, com as mãos estendidas, fazendo sinal para que ele parasse.

— Tibor, o que está fazendo? — quis saber a irmã.

— Esse é o carro-carroça do homem do bigode vivo. Vamos! — gritou ele para os outros dois.

Sátir entendeu logo, mas Rurique, não:

— Ah, não! Outra assombração! — exclamou. Mas, ao ver o motorista, o menino entendeu o porquê do "bigode vivo" e, ao ver melhor o carro, compreendeu a parte do "carro-carroça".

Era Raul, o homem que os trouxe para o sítio antes da quaresma começar.

— Vim ver se estavam bem, mas vejo que não estão! — disse Raul, espantado ao vê-los sujos daquele jeito, andando, desesperados, no meio da estrada à noite. Perplexo, examinou-os com os olhos, enquanto entravam no carro. — Terei de arrumar outra família para vocês, é isso?

— Não é nada disso! — disse Tibor, falando depressa. — Não dá pra explicar agora, mas a gente precisa da sua ajuda, mais do que tudo no mundo.

— Como assim? O que está acontecendo aqui, Sibor?

— Meu nome é Tibor. Agora pise no acelerador!

Fizeram o homem dar meia-volta e seguiram rápido pela Estrada Velha. Depois fizeram a curva à frente e continuaram pela Estrada Viena, em direção à Vila Guará.

Tibor foi no banco do passageiro, ao lado de Raul; Sátir e Rurique, no banco de trás, agradecendo a sorte que haviam tido com o aparecimento de Raul.

—Podem explicar o que está acontecendo aqui, senhor e senhorita Lobato? — perguntou o bigode do homem.

Eles bem que tentaram, mas, quando começaram a falar de assombração, o homem pirou.

— Estão ficando malucos? Vocês entram na frente de um carro, no meio da estrada, e praticamente obrigam o motorista, que sou eu, a dirigir como um alucinado por causa de uma história da carochinha? — perguntou, encarando-os pelo retrovisor, e seu bigode já não parecia mais tão engraçado. — Vou dizer o que vamos fazer — disse ele, pisando no freio e fazendo todo mundo voar para a frente. — Vamos voltar para o sítio! Vou contar tudo à avó de vocês e sugerir que os deixe de castigo.

— Nãããão! — gritaram os três, quando Raul começou a manobrar o carro na estrada.

— O senhor não entende? Nossa avó foi sequestrada! — explicou Tibor. — Ela foi levada para o Oitavo Vilarejo e, a gente não for atrás dela, não veremos ela nunca mais!

— Está louco, menino! — gritou Raul. — São só sete vilarejos, não existe um oitavo.

— Existe e é pra lá que estamos indo! — Tibor gritou mais alto.

Uma grande confusão se formou dentro do carro. Quem visse de fora, não saberia o que pensar. Um carro velho parado no meio da estrada, com três crianças e um senhor bigodudo que gritavam, um mais alto que o outro, coisas como mula sem cabeça e curupira; orfanato e castigo; menino fantasma e gorro voador.

Até que...

— ESTÁ BEM! — Raul gritou por fim e todos se calaram, para que ele pudesse falar. — Está bem! Eu levo vocês até a entrada desse tal vilarejo, se é que ele existe...

— Existe sim, pois... — começou Tibor.

— Muito bem — cortou o homem. — Vou levá-los, mas depois vou ter uma conversa muito séria com a avó de vocês. De acordo?

— De acordo. Agora podemos ir? — perguntou Tibor.

O homem encarou as crianças, uma a uma, e balançou a cabeça com se não conseguisse acreditar no que estava acontecendo. Deu a partida no carro e seguiu viagem.

O carro era tão barulhento que parecia prestes a desmontar a qualquer momento.

— Este troço não vai mais rápido? — perguntou Sátir.

— Minha nobre garotinha — disse Raul, sarcástico —, estou fazendo tudo o que posso. Considere isso uma sorte.

Ela não disse, mas sabia que era uma sorte mesmo que aquele carro tivesse aparecido naquele exato momento, pois do contrário ainda estariam entrando na Estrada Velha.

Passaram-se duas horas, mas dentro do carro a adrenalina era tanta que o tempo parecia se arrastar. Era como se estivessem há muito mais tempo naquele carro. Finalmente, parecia que estavam chegando.

— É ali! — avisou Tibor, apontando para a trilha entre os arbustos, à direita da estrada.

O menino abriu a porta e saltou do carro antes mesmo que ele parasse por completo. Os outros dois seguiram-no apressados e entraram na mata.

— Ei, garotos, esperem! Não podem ir entrando nessa floresta sozinhos! — advertiu Raul, parado na estrada. Como ninguém respondeu, ele trancou o carro, resmungando, e decidiu ir atrás deles.

Os três andaram em meio aos galhos secos da mata da Vila Guará, tentando encontrar a fenda que dividia a floresta em duas partes. Depois de cinco minutos a encontraram e foram seguindo ao lado do buraco até chegar à ponte Du Avessu.

Raul alcançou-os, mas, quando os viu atravessando a ponte de ponta-cabeça, abriu a boca em completa descrença e resolveu dar no pé, esquecendo todas as suas obrigações como conselheiro tutelar e deixando o medo e o espanto levarem a melhor.

— Ele está fugindo! — comentou Rurique, ao ver as pernas do homem sumirem por entre as árvores secas.

No final da travessia, o silêncio da mata os envolveu, tornando o mínimo farfalhar um som ameaçador. Os três ouviam as próprias respirações como se estivessem amplificadas por um megafone.

A cabana de bambu, encontraram completamente vazia e abandonada. E, no chão de terra, pegadas, marcas de cascos e de um corpo que tinha sido arrastado.

— Foram por aqui! — disse Tibor, seguindo o rastro.

Enquanto seguia a trilha marcada por folhas secas, Tibor torcia para que nada tivesse acontecido à avó, que ele já amava. Nunca se perdoaria se algo lhe acontecesse. Tinha prometido a si mesmo que não deixaria ninguém encostar um só dedo nela e, quando isso aconteceu, nem por perto ele estava para protegê-la.

Sua raiva só aumentava à medida que andavam. Seria melhor que Miguel saísse do seu caminho quando o encontrassem, pois não responderia pelos seus atos.

Começaram a vislumbrar uma clareira à frente, onde alguns vultos se moviam por entre as árvores. Tibor fez sinal para que Sátir e Rurique se aproximassem. Sentia o coração acelerado e o sangue pressionar suas têmporas. Os três se agacharam atrás de um arbusto e Tibor começou a falar com a voz trêmula, mas ainda assim determinada:

— Pessoal, estamos dentro do Oitavo Vilarejo. A antiga prisão da Cuca. Não sei o que nos espera. Talvez a gente dê de cara com a própria bruxa! Estamos desarmados, então temos que agir em equipe e com inteligência. Vamos salvar nossa avó, certo?

— Certo! — concordaram.

Todos se fitaram com um olhar solene. Como se estivessem prestes a fazer algo sem volta. E, apesar do medo, a cumplicidade, com certeza, estava presente.

— Boa sorte a todos nós! — desejou o menino.

Então partiram em direção à clareira.

Tibor chegou mais perto e conseguiu ver Miguel amarrando Gailde a uma árvore. O sangue subiu-lhe à cabeça e ele fez menção de partir pra cima do menino, mas a mão da irmã o deteve.

— O que houve com "agirmos em equipe e com inteligência"? — perguntou ela.

Então Tibor se lembrou das palavras que uma voz estranha dizia em seu sonho: "controle sua fúria e seu medo!".

— Controlar minha fúria... — murmurou ele, respirando fundo.

De cabeça mais fria, entrou na clareira, com Sátir e Rurique logo atrás. Não havia nem sinal da mula sem cabeça.

— Miguel, solte a minha avó! — mandou Tibor.

O menino assustou-se e olhou para os três.

— Como conseguiram chegar aqui com essa rapidez? — perguntou Tork.

Os dois garotos fuzilaram-se com o olhar, por um breve instante.

— Disse para soltar minha avó, agora! — A voz de Tibor mostrava que ele estava se enfurecendo de novo. — Estou dando a você mais uma chance de voltar atrás, Miguel. Podemos encontrar um jeito de salvar seus irmãos, não precisa fazer isso.

Tork encarou o menino por mais um tempo.

— Tudo bem, não importa, mesmo, como chegaram aqui — disse ele, dando alguns passos na direção dos meninos. — O que importa é que fiz a minha parte.

— A sua parte? — quis saber Sátir.

— Isso mesmo — confirmou Tork, sorrateiro. — Como eu já disse, vocês eram parte do plano o tempo todo. Foi difícil conquistar a confiança de vocês, confesso que me deram um pouco de trabalho, mas mesmo assim concluí a minha tarefa.

— E deu conta dela muito bem, menino Tork! — disse uma voz de sotaque arrastado que reconheceram na mesma hora: Seu Icas, que também aparecia agora na clareira. Vinha, com dificuldade, andando com a ajuda das muletas de bambu. — Terá sua recompensa, como prometi. Terá sim!

— O senhor estava envolvido? — perguntou Sátir.

O homem encarou a menina com seus olhos avermelhados.

— Queria que ocês me respondesse uma pergunta, uma só. Êh-êh!

Os três fitaram o velho, atentos. Miguel continuava parado onde estava.

— Gostaram quando menino Tork invadiu o sítio de ocês? Gostaram? — quis saber ele.

Os meninos permaneceram quietos. Tibor achou um insulto um interrogatório ser feito àquela altura. O que isso tem a ver com a situação toda?

— Êh-êh! Claro que num gostaram! Gostaram não! — disse Icas, respondendo por eles. — ENTÃO POR QUE INVADIRAM MEU SÍTIO? — gritou, assustando os três.

Tibor franziu a testa, pensando que, se o homem estivesse se referindo ao Oitavo Vilarejo, apesar de não se tratar de um sítio, eles tinham entrado com a permissão de Miguel.

— Não sabem que sítio é o meu, né? — O velho os rodeava com a ajuda das muletas e seus olhos avermelhados passavam de um para o outro numa rapidez que assustava. — Eu vou contar um segredo pra ocês! — disse ele, chegando mais perto. Nesse momento, puderam sentir o cheiro forte de fumo, impregnado no velho Icas. — Faz doze anos, o bisavô de ocês construiu esse lugar pra sê a prisão da Cuca. Isso ocês já sabe, num sabe? — e olhou para Miguel, fazendo um sinal. O menino, parecendo entender, entrou na mata. Minutos depois, voltou trazendo o cachimbo, já aceso, para o Seu Icas. — Ela foi muito má, sumiu com muitas criança, numa noite só, e num devolveu mais. Não, não!

Tibor olhou para a avó, que continuava desacordada. O céu trovejava ao longe, indicando que uma chuva viria em breve.

— Dez anos depois, ela conseguiu achá um jeito de se soltá! — continuou ele. — Enganô um cabra por aí e tirô todos os poder dele.

Tibor começou a encarar o velho de outra forma, sabia que ele estava contando sua própria história, mas quem era ele? Xamã da floresta? Bobagem!

— Esse cabra tentô fugi daqui, mas só conseguiu causá a morte do criadô da prisão. — Tibor se enfureceu quando Icas mencionou o bisavô, e ele sentiu um gosto amargo na garganta.

— Chega de enrolar, diga quem você é! — gritou.

— Êh-êh! Quem sô eu? — perguntou Icas. — Há há! Num sabe não?

— Tibor! — chamou Sátir. — Ele disse que a Cuca só conseguiu atrair alguém para cá depois que já estava presa há dez anos, ou seja, o tal "novo prisioneiro" está aqui há dois anos e...

— ...o sítio que invadimos era o do fazendeiro Pereira — continuou Rurique. — Que está sumido, por coincidência, há dois anos.

— O cheiro do fumo dele! Agora eu sei de onde reconheci o cheiro. Do sítio do Pereira! Sem contar que aquele negócio de bambu que parecia uma perna, que encontramos dentro da casa dele, deve ser uma prótese — concluiu Sátir.

Tibor ponderou sobre todas as coincidências e começou a perceber que na verdade se tratava de fatos. Então voltou-se para o xamã.

— Você matou meu bisavô? Você era o amigo do Curupira? — quis saber Tibor, com a voz baixa, mas cheia de raiva.

— Amigo eu era. Mas num matei ninguém, não! Só ajudei, de certa maneira, né?

Tibor avançou na direção do homem, que se desviou dele com uma agilidade surpreendente.

Tibor se espantou; sabia que um velho de muletas não podia ser tão rápido assim.

— Quem é você? — perguntou Tibor, mais uma vez.

— Êh-êh! Sacireno Pereira, ao seu dispor! — disse o homem, soltando as muletas e equilibrando-se numa perna só, enquanto Miguel lhe trazia o gorro surrado, cor de vinho. — Ou pode me chamá pelo meu apelido, pode sim! Saci Pereira ou Saci Pererê, como preferi. Icas é só pra fazê jus à piadinha sem graça que seu bisavô contô quando deu nome àquela ponte, antes de morrê!

Tibor olhou as muletas no chão e viu que o homem se equilibrava muito bem sobre um pé só. E entendeu o que ele queria dizer com relação à piada: a ponte que o bisavô Curupira construiu se chamava Du Avessu e o nome "Saci", se lido ao contrário, ou "do avesso", era "Icas".

Sátir e Rurique estavam boquiabertos. Sempre ouviram histórias sobre o Saci e ali estava ele, na frente deles, e pior: contra eles.

— Seu demônio! — gritou Tibor, avançando na direção dele novamente. Mas com um pulo impulsionado pela sua única perna, o Saci se esquivou outra vez.

— Não pode comigo; pode não! — disse Icas e apontou para o gorro, já descosturado em algumas partes. — Tenho meu poder de volta. Ah, se tenho! — disse ele, dando um chute, digno de um mestre de capoeira, bem no meio do peito de Tibor, que caiu no chão, com falta de ar.

Sátir não conseguiu ficar parada, ao ver o irmão ser golpeado brutalmente daquela maneira, e partiu para a briga, mas tanto ela quanto Rurique receberam o mesmo golpe e, como Tibor, acabaram estendidos no chão.

— Menino Tork! — chamou Sacireno. — Começa logo esse ritual! Quero saí daqui ainda hoje. Ah, se quero! — E deu as costas para eles.

Tibor se deu conta do que iria acontecer e era exatamente o que temia. Sacireno iria trocar de lugar com Gailde, saindo em liberdade do Oitavo Vilarejo e deixando a avó como prisioneira em seu lugar, assim como a Cuca tinha feito com ele.

— Êh-êh! Irônico. É, sim! Filha vai ficá presa no lugar de eu, na prisão que o próprio pai fez. Vai sim! — disse ele, puxando seu cachimbo, enquanto dezenas de crianças saíam do meio da mata e se espalhavam pela clareira, formando o círculo do ritual.

Sacireno Pereira pulava de alegria, quando Tibor avançou na direção dele pela terceira vez. Mas foi inútil, pois mais uma pesada o derrubou de costas no chão, a quase três metros de distância. Além de dolorido, agora Tibor estava ainda mais furioso. Não conseguia se aproximar do velho.

Enquanto isso, Miguel levava uma taça à boca de Gailde, ainda desmaiada.

Rurique olhou para Sátir e dispararam, os dois, na direção de Miguel, em meio às crianças fantasmas, que nem lhes davam atenção. Tibor percebeu o que os amigos estavam planejando e tentou, ao máximo, manter Sacireno ocupado. O que era bem difícil, pois isso lhe rendia muitos pontapés.

Rurique trazia nas mãos uma das suas espadinhas de madeira, com a qual acertou o topo da cabeça do menino fantasma, fazendo-o derramar a taça. Miguel, enfurecido, pegou um galho no chão e começou a travar uma briga violenta com Rurique.

O menino magricela parecia ter treinado a vida toda para aquele momento e não se intimidou diante do adversário. Enquanto isso, Sátir desamarrava a avó, que aos poucos começava a acordar.

Tibor já estava com o rosto ensanguentado e não aguentava mais apanhar do velho. Já nem sabia mais quantas vezes tinha caído no chão, mas já contava dois dentes moles na boca.

Tibor analisou a situação e viu que era bem complicada. Sátir lutava para desamarrar a avó e Tork era tão bom quanto Rurique na espada. Mas mesmo que o amigo vencesse o menino, mais dezenas de crianças do além estariam prontas para a batalha. E ele mesmo nunca conseguiria vencer Sacireno, pois mais uma pesada daquelas seria o suficiente para acabar com ele.

— SACIRENO PEREIRA! — chamou de repente uma voz autoritária em meio à multidão de crianças macabras.

Tibor tentou ver quem tinha falado, mas as crianças dançarinas e loucas tampavam sua visão.

Sacireno, por sua vez, parou de pular e virou-se para ver quem tinha chamado seu nome naquele tom de ameaça. Parecia irritado com as crianças saltitantes também, pois deu um assobio que quase estourou os tímpanos de todos ali presentes e o ritual cessou no mesmo instante.

Só assim o velho pôde ver quem o chamou, e quando viu esticou sua cabeça medonha e arregalou seus olhos vermelhos.

Era Gailde. Vinha abrindo caminho em meio aos trasgos, com a neta ao lado. Enquanto isso, Tibor, Rurique e Miguel continuavam lutando mais atrás. Um breve golpe de Miguel quebrou metade da espada de madeira que Rurique tinha esculpido e o menino já se punha a atacar novamente. Parecia uma luta de dois gladiadores.

Sacireno encarou a avó dos meninos e sua face estava mais ameaçadora do que nunca.

— Êh-êh! — começou o Saci. — Resolveu acordá e brincá um poquinho, foi?

— Chega de brincadeira! — disse ela, nervosa. Tibor nunca tinha visto a avó daquele jeito, dava até medo! Um pinguinho de esperança brotou no peito do menino, quando ouviu a avó dizer: — Vou fazê-lo pagar pelo mal que causou a toda a família Lobato.

15

BOITATÁ

Um denso vapor pareceu vir de todos os cantos da clareira, quando Gailde fechou os olhos. A pedra em seu peito começou a emitir um brilho verde e Tibor percebeu, com alívio, que Sacireno finalmente estava assustado.

Os trasgos olhavam ao redor, procurando saber de onde vinha aquele bafo quente, quando a cobra de fogo verde se materializou no meio da clareira.

Seus doze metros de comprimento, constituídos de labaredas de fogo, fizeram com que todos os meninos fantasmas saíssem correndo, desesperados.

Miguel Torquado finalmente derrubou Rurique com o galho que tinha nas mãos, mas, quando viu a serpente gigante, largou o galho e correu para a mata, junto com as outras crianças fantasmas.

Tibor sentiu que não o veria mais, pelo menos não naquela quaresma, e ficou aliviado.

— Voltem, seus covardes! — ralhou Sacireno. — É só uma maldita cobra! É, sim!

A enorme cobra, agora enrolada em si mesma, encarava o Saci com as presas brancas à mostra. Seu silvo era alto e ameaçador.

É hora da revanche, pensou Tibor, ainda no chão e com a bochecha inchada, ao ver Sacireno sozinho na clareira, frente a frente com o Boitatá.

— Ocê pensa que pode contra eu? Pensa? — perguntou Sacireno, sem tirar o cachimbo da boca. — Sô o Saci Pererê! — falou, batendo as mãos no peito nu e encarando Gailde por entre as labaredas da cobra. — Eu mando nas mata. Mando sim! Seu pai foi tolo de cair na armadilha que aprontei pra ele. A Cuca queria que eu atraísse ocê pro Oitavo Vilarejo, pra que o Curupira pudesse vim salvá ocê. Queria sim! — Ele deu uma pitada e soltou a fumaça branca e fedorenta no ar. — E ele veio e elas pegaro ele. Pegaro, sim! As duas de uma veis só. Êh-êh! E foi-se embora pro além; foi sim!

Gailde fechou a cara. Sem dizer uma palavra, estendeu a mão direita na direção de Sacireno e, como se fosse uma ordem, a cobra deu o bote. No mesmo instante, Sacireno esquivou-se com seu corpo velho e esguio.

O Boitatá ainda tentou cravar suas presas cor de marfim no Saci por mais umas duas vezes, mas, com o gorro, o velho parecia ter realmente adquirido forças sobrenaturais.

Mais uma tentativa do Boitatá e desta vez o Saci não fugiu. Tibor e os outros até pensaram que a cobra tinha conseguido pegá-lo, mas a verdade é que Sacireno deu um rodopio no lugar e se transformou num pequeno redemoinho.

Tibor não podia crer naquilo.

Na forma de redemoinho, Sacireno impedia a aproximação do Boitatá. A serpente de fogo esverdeado tentava dar o golpe certeiro pelas laterais, por cima e por baixo, mas o pé de vento que o Saci provocava era tão forte que o repelia em qualquer direção que tentasse.

A avó dos meninos parecia estar fazendo uma força gigantesca para manter o Boitatá na investida. Tremia muito. Tinha agora as duas mãos estendidas à frente e seus olhos estavam fechados com força. Gotas de suor escorriam pela sua testa, enquanto Sacireno gargalhava de dentro do redemoinho.

— É inútil, sua velhota! — disse ele, debochado. — Hoje ocê vai sê presa aqui nesse Vilarejo; vai sim! E num vai mais saí daqui. Nunca mais. Vai não! — E gargalhou mais uma vez. — O seu pai não te ensinô nada sobre o Muiraquitã, num é? Esqueci. Bateu as bota antes de ensiná!

Gailde tentava se concentrar, tentando ignorar as provocações, mas agora o vendaval de Sacireno começava a arrastar a cobra para trás.

— O Boitatá aparece com a ajuda do Muiraquitã — começou o Saci. — A pedra precisa de energia pra podê materializá a cobra.

Os joelhos de Gailde começavam a ceder. Ela abriu os olhos e sua expressão era de dor. Tibor tentou fazer alguma coisa, mas, ao se aproximar do redemoinho, o vento mandou Tibor para longe. Rurique juntou-se a Sátir, mas os dois também não puderam fazer nada.

— Ele usa a energia da vida do portadô do Muiraquitã — continuou Sacireno.

Tibor tentou se levantar mais uma vez, mas tudo que podia fazer era torcer para que a avó conseguisse subjugá-lo.

— Acha que pode vencê eu? Com essa cobrinha de fogo? Acha? — perguntou Sacireno. — Esse seu Boitatá é uma vergonha, é sim! Porque sua força vital tá fraca. Porque ocê tá veia demais pra vencê!

Eles não gostavam de ver a avó naquela situação. Era como se ela estivesse morrendo diante dos olhos deles. Gailde tremia mais e parecia começar a perder o controle do espírito de fogo da floresta. Tibor podia ver as lágrimas escorrerem dos olhos dela e o aperto em seu peito crescia, mais e mais.

Então Sacireno Pereira aumentou a intensidade do seu vendaval e Tibor viu a serpente vacilar. Era como se o fogo estivesse prestes a se apagar, como uma vela em frente a uma janela aberta.

O redemoinho ficou duas vezes maior, soprou e soprou até que Boitatá foi se extinguindo e, de repente, apagou-se por completo.

O frio dominou a clareira, assim como o medo dos três jovens.

Sacireno parou de girar, às gargalhadas. Encarou Gailde nos olhos e desferiu:

— Velhota, ocê já era! Era sim! — dizendo isso, foi pulando veloz até ela e mirou-lhe uma pesada no peito.

Antes que Gailde pudesse reagir, o único pé de Sacireno atingiu seu alvo, acertando bem no Muiraquitã.

Foi como se Tibor visse a cena toda em câmera lenta. O Saci deu um impulso para trás e caiu de pé, enquanto a avó voou para longe, caindo aos pés de Rurique e da irmã. A pedra mágica em seu pescoço, estilhaçada, espalhando cacos de jade.

Tibor levou as mãos à boca em desespero.

A pedra era a única forma que tinham para deter Sacireno Pereira e seu plano de prender a avó no Oitavo Vilarejo. Sem ela, estavam perdidos.

A gargalhada do velho era fria e arrepiante. Os relâmpagos, no céu, pareciam fazer parte do show de horrores encenado na clareira, iluminando a silhueta esguia do Saci e deixando-o com uma aparência ainda mais medonha.

Tibor pôde vê-lo se aproximar da avó, Rurique colocando-se entre eles, mas, com um só golpe, o Saci abriu caminho até ela facilmente.

Foi a vez de Sátir interferir e lá se foi o pé ágil de Sacireno, direto no rosto da menina, sem dó nem piedade.

Ele estava realmente determinado a fugir de sua prisão.

— Suas irmã me prometeram liberdade, caso eu trouxesse os seus neto pra cá — disse ele, quando chegou à avó dos meninos. — Eu num podia saí da prisão, então prometi dá em troca aquilo com que todo fantasma sonha. A vida. Prometi sim! Então consegui que Miguel se infiltrasse na vida de ocês, esse era o plano delas. Mas era tudo mentira delas. Sempre era. Era sim! Descobri como funciona o Vilarejo, tempo atrás. — Ele pegou Gailde pelo pé e começou a arrastá-la, aos pulos, até o centro da clareira. — Não é preciso um ser fantástico para sê aprisionado aqui, num é mesmo? É preciso só entrá aqui com alguma coisa mágica, assim como elas fizeram comigo e com o meu gorro, e depois tirá ele da pessoa, bloqueando todas as suas fonte de poder. Quando percebi, mudei o plano todo; mudei sim! — Ele parou e soltou a perna de Gailde, que parecia incapaz de mover um só músculo para se proteger. — Êh-êh! Acabei de fazê isso com ocê, tirei sua fonte de poder. Tirei sua pedrinha; tirei sim!

Tibor colocou-se de pé, com a intenção de voar direto no pescoço do Saci, mesmo sem saber como.

— Sem meu gorro, eu não sô nada, sabe disso — continuou Sacireno. — Ocê foi muito esperta em escondê ele de mim na minha própria casa, num foi? Pena que o destino é traiçoeiro às veis. Olha a ironia de novo! Seus próprio neto acharam pra mim e bem debaixo do seu nariz.

Tibor tentou permanecer bem quieto enquanto Sacireno completava seu relato com uma gargalhada. Quando viu a oportunidade, correu na direção dele e...

Bum! Estava no chão, outra vez.

— Êh-êh! Num adianta, garoto. Desiste!

Tibor abriu os olhos, sem nem ter visto o golpe que o atingiu. Tinha gosto de sangue na boca.

Sacireno voltou-se para Gailde e continuou:

— Num preciso daqueles espírito covarde! Sei fazê o ritual da troca sozinho. Foi mais uma piadinha sem graça que seu pai deixou pra que eu possa dá risada, quando saí daqui. — Então ele começou a murmurar encantamentos ao redor de Gailde.

Uma chuva forte começou a cair sobre o Oitavo Vilarejo. O céu, carregado de nuvens pretas, refletia a desesperança de Tibor. Estirado no chão, podia ver Rurique e a irmã tão indefesos quanto ele, estatelados, sem forças para reagir. Não sabia nem se estavam acordados.

Enquanto isso o Saci circundava, aos pulos, o corpo da avó, inerte. Dizia palavras sem nexo e estalava os dedos, como se estivesse numa espécie de transe.

A avó começou a tremer e a sacudir o corpo todo, no chão, e o sorriso que apareceu nos lábios de Sacireno indicou que o ritual de troca estava dando certo. Ele tragou mais uma vez o seu cachimbo fedorento e soprou a fumaça no rosto de Gailde, como se quisesse humilhá-la.

Tibor, porém, percebeu algo acontecer. Sentiu uma presença poderosa se aproximar, não fisicamente, mas apenas na sua mente. Não era como no primeiro ritual. Desta vez a força era poderosa, mas não maligna. Achou que estava ficando louco, depois de tomar tantos golpes do Saci, mas uma voz soou dentro dele:

Não! Não está!

Ele abriu os olhos e percebeu que só ele escutava a voz.

Quem é?, pensou, percebendo que a voz era a mesma do sonho. Os pingos finos da chuva molhavam seu rosto.

Acha que o teste que lhe apliquei foi em vão?

Você está falando do meu sonho?

Exato!, disse a voz em sua cabeça. *Escolhi você.*

Tibor lembrou-se do que a avó tinha dito. O sonho era um teste de aptidão para que ele um dia adquirisse o Muiraquitã.

Ela se enganou na sua interpretação, disse a voz. *Esse é o MEU teste.*

Quem é você?, insistiu Tibor.

A resposta veio como um balde de água quente, devolvendo-lhe a esperança.

Eu sou Boitatá, o espírito de fogo que traz o equilíbrio para as matas. Sou amigo do Curupira, seu bisavô. E, por passar em meu teste, eu o reconheço, Tibor Lobato, como um legítimo ser de coração puro. Mas ainda terá de se lembrar de uma coisa...

E o menino sabia a que ele estava se referindo:

Controle sua fúria e seu medo!, lembrou-se ele. Teria que controlar o seu medo, embora morresse de medo de fogo. Tudo fazia sentido.

Exatamente, disse a voz.

Tibor respirou fundo e até parecia que o ar entrando em seus pulmões agora era diferente. Ele sentia que conseguiria, sentia que era capaz de vencer aquele desafio. Concentrou-se e pensou:

Estou pronto.

Tibor começou a sentir uma energia renovada em seu corpo, como se estivessem recarregando suas baterias.

O que está acontecendo comigo?

Este é o meu presente. Estou lhe dando uma chance de equilibrar o jogo. Se quiser, posso deixar que me comande para chegar à vitória.

Claro que quero! Preciso salvar minha avó antes que seja tarde.

Então fique de pé e me convoque!, disse a voz grave, em tom de comando.

Tibor levantou-se depressa e pareceu que não havia mais nenhuma dificuldade nisso.

Sacireno observou-o, curioso.

— O que tá fazendo, menino besta? — questionou ele. — Êh-êh! É melhor ficá no chão pra num apanhá mais; é sim!

O menino estendeu o braço na direção do Saci e o tempo pareceu congelar naquele instante. Sentiu a força descomunal que estava em seu poder e gritou:

— BOITATÁÁÁÁÁÁ!

Labaredas verdes surgiram de todos os lados da clareira e uniram-se às costas de Tibor, rodopiando, cruzando-se, até formar o corpo de uma cobra de uns trinta metros de comprimento. E os olhos da cobra pousaram em Sacireno como se ele fosse um rato suculento prestes a ser devorado.

Sátir e Rurique sentaram-se onde estavam e ficaram deslumbrados com a visão.

— Meu irmão!... — murmurou Sátir, pasmada.

Sacireno começou novamente seu giro frenético, transformando-se mais uma vez num redemoinho, mas o Boitatá deu-lhe uma rabada e o Saci voou direto para o chão.

Apoiando-se na sua única perna, ele se levantou novamente e encarou o Boitatá por um tempo, avaliando suas possibilidades.

— Ocê pensa que acabô né, menino besta? Pensa sim! — disse para Tibor. — Num acabô, não. Hum-hum! — exclamou, fazendo que não com a cabeça.

Tibor olhou para o Boitatá e a voz em sua cabeça trovejou:

É com você, Tibor!

Não posso fazer isso. Sei o que vai acontecer, pensou ele. *A floresta inteira vai arder em chamas. Vi isso acontecer em meu sonho.*

Que bom que pensa assim. Mas acha mesmo que o espírito da floresta iria deixar a floresta queimar?

Como assim?

Concentre-se naquilo que quer e só o que precisa ser destruído pegará fogo!

Sacireno talvez tenha percebido o plano nos olhos de Tibor, pois se pôs a correr, da mesma forma que os trasgos tinham feito antes. *Que covarde!*, pensou Tibor ao vê-lo sumindo entre as árvores.

Sátir e Rurique tinham conseguido chegar até Gailde que, agora, acordada, só observava tudo.

Uma alegria tomou conta de Tibor, que fechou os olhos e se concentrou em Sacireno Pereira, ordenando:

— QUEIME-O!

A cobra então explodiu em chamas verdes e continuou ardendo até abarcar todo o Oitavo Vilarejo, num traçado circular. O barulho foi tão violento que, para Tibor, certamente os habitantes de todos os vilarejos vizinhos tinham sido capazes de ouvi-lo. Se não ouviram, ao menos viram o clarão esverdeado que se estendeu por quilômetros ao redor.

Tibor reconheceu a imagem de seu sonho. Uma clareira envolta em chamas por todos os lados. Mas desta vez não teve medo.

E desmaiou.

16

DIA DE ALELUIA

Tibor abriu os olhos e sua visão foi ofuscada quando a luz do sol invadiu suas pupilas. Acostumou-se com a luz e percebeu que estava em seu quarto, de volta ao sítio. Como chegou até ali? A última coisa de que se lembrava eram os pingos de chuva caindo em seu rosto, numa floresta incendiada.

Seu corpo parecia leve, como se tivesse nascido de novo.

— Ei, vó! — Era a voz da irmã. — Corra! Ele está acordando.

Ele reconheceu as três cabeças que apareceram em seu campo de visão.

Eram Rurique, Sátir e Gailde.

— Está tudo bem? — quis saber, como se usasse a boca pela primeira vez.

Os três entreolharam-se.

— Se está tudo bem? — falou Rurique. — Nos diga você! Está apagado nesta cama faz três dias.

— Três dias?!

— É. Hoje é 3 de abril. Sabe o que isso significa? — perguntou Sátir.

— Não.

— Que a quaresma já acabou.

Tibor abriu um sorriso, aliviado. Agora entendia, muito bem, por que todos diziam que na quaresma os seres fantásticos apareciam.

— Não foi tão ruim assim! — disse ele. — Mas acho que todos precisamos de umas férias da quaresma, não acham?

Os três riram, concordando com a cabeça.

Ajudaram Tibor a se sentar na cama.

— O que é aquilo? — quis saber Tibor, ao ver uma pilha de livros e cadernos ao lado da cama.

— Nosso material escolar! — explicou a irmã, animada por, enfim, poder conversar com o irmão. — Nossas aulas com Dona Eulália começam na semana que vem.

— Já? — O garoto não pôde deixar de fazer uma careta. Então olhou com mais atenção para os três, que tinham curativos por toda parte.
—Vó! — disse, de repente, como se lembrasse de algo importante. — O que aconteceu com Sacireno Pereira?

Ela mudou de expressão e ficou séria.

— Infelizmente conseguiu escapar — disse ela. — Assim como Miguel e os trasgos.

— Então eles podem voltar?

Ela apenas assentiu.

Ele parou para pensar um pouco.

— Então nossa batalha no vilarejo foi em vão?

— Não, Tibor! — garantiu ela, segurando a mão do neto. — Não acredito que tenha sido em vão.

— Mas se Sacireno escapou, então...

— O Boitatá é um ser que traz o equilíbrio. Ele só destruiu aquilo que *precisava* ser destruído. O Oitavo Vilarejo foi útil por longos anos, até descobrirem como ele funcionava, depois disso passou a ser uma ameaça.

— O Oitavo Vilarejo foi destruído?

— Completamente — afirmou a avó.

Tibor lembrou-se de que o Boitatá tinha dito que ele poderia controlá-lo para "equilibrar" o jogo e chegar à vitória; e tinha sido o que de fato aconteceu.

— Mas e a floresta? — quis saber, Tibor. — O Boitatá me disse que não a queimaria.

— E não queimou. Depois da chuva, o fogo se apagou e as poucas folhas da floresta continuaram ali intactas, sem nem um chamuscado.

— E a Cuca?

— O que tem ela?

— Onde ela está? Ela é a principal nessa confusão toda e nem deu as caras?

— Deve estar em algum canto escondida, morrendo de medo de um menino que tem o controle de uma cobra de fogo de trinta metros de comprimento.

Tibor deu risada e, por alguns instantes, o silêncio falou mais alto.

— E quem é a outra irmã? — quis saber.

— Ela é conhecida como a Pisadeira. Não pense que é menos perigosa que a Cuca. É que a Cuca é exibida e tem mais fama que a irmã, mas não faz nada sem o consentimento dela.

Tibor olhou pela janela, lembrando-se da velha farejadora que os perseguiu logo nos primeiros dias que estavam no sítio. Pelo tamanho das pegadas que encontraram no dia seguinte, podia imaginar o porquê do apelido Pisadeira.

— Vó, como o Curupira foi morto?

Gailde respirou fundo, pois era um assunto delicado, mas achou que o garoto deveria saber.

— Sacireno me levou até a prisão da Cuca, o que fez com que meu pai o seguisse. Os dois eram amigos e seu bisavô nunca iria imaginar uma traição vinda do próprio Saci. Chegando lá, o Curupira foi envenenado pelas duas bruxas. Até tentou voltar para a mata, em busca de alguma planta que servisse como antídoto, mas não deu tempo. Seu bisavô também era curandeiro, e dos bons! Sabia que várias plantas podiam ser usadas como antídoto para diversos tipos de veneno. Saber quais delas usar é praticamente uma arte. E nisso o meu pai era um perito. Mas as irmãs sabiam disso. Elas o conheciam bem. E cuidaram para que não houvesse por perto nenhum antídoto para aquele veneno específico. O veneno então fez efeito e o Curupira começou a ter alucinações. — Ela fez uma pausa. Tibor podia jurar que a avó estava revendo o rosto do pai dela, em pensamento, naquele momento. — Ele acabou nas garras de caçadores de onça, que vendiam a pele desse animal no mercado negro. Eram os mesmos caçadores a quem o Curupira tinha acabado de dar uma lição, fazendo com que se perdessem na mata. As alucinações o deixaram tão desorientado que ele nem soube de onde vieram os tiros de espingarda que o atingiram.

Tibor ficou imaginando a cena e seu ódio pelas tias-avós cresceu ainda mais, mas, pela experiência que tinha tido naquela quaresma, entendeu que ainda havia um longo caminho até ele estar pronto para encarar as duas.

— Como foi que o gorro de Sacireno foi parar no sítio dele? Ouvi o saci dizer...

— Fui eu que o escondi lá. Quando meu pai me salvou da armadilha do saci, a Cuca retirou-lhe o gorro e assim pôde prender o xamã em seu lugar. — contou Gailde — Corri em busca de meu pai, que agonizava em algum canto da floresta. Nisso encontrei o gorro jogado no chão. Achei por bem, que devia guardá-lo no sítio de seu dono. Acredito que a mágoa dele seja por eu ter escolhido não o devolver em mãos.

— Fez muito bem. — concluiu Sátir. — Ele ia querer te prender no Oitavo Vilarejo.

— E como foi que a gente saiu de lá do Oitavo Vilarejo? — perguntou Tibor."

— Ah! Encontramos Raul do outro lado da ponte Du Avessu, tentando atravessar. Ele fez o favor de nos dar uma carona e eu tive de prometer que daria um castigo severo a vocês.

Todos acharam muita graça.

— Acha que estaremos em segurança até a próxima quaresma? — quis saber Tibor.

A avó pensou um pouco e respondeu, com um sorriso carinhoso nos lábios:

— Acho que sim.

Mais tarde Tibor desceu as escadas, na companhia do amigo Rurique, e deu uma volta pelo sítio.

Segundo a avó, aquele era um dia especial. Não só porque a quaresma tinha acabado e estavam todos bem, mas também porque era sábado de Aleluia.

Tibor não sabia, exatamente, o que aquilo significava, mas foi até o gramado na frente da casa e fez questão de tirar os sapatos. Precisava sentir a grama do sítio entre os dedos dos pés. Olhou os arredores e viu o curral parcialmente destruído, mas ainda de pé. Alegrou-se ao ver a mangueira carregada de mangas, o poço, o galinheiro. Apesar do que tinha acontecido ali, tudo estava bem.

Tibor e Rurique se juntaram a Sátir e Gailde, que estavam dando as boas-vindas a Eulália e Avelino. Rurique contou-lhes que foi até o sítio da família Bronze, mas Málabu ainda não tinha voltado da viagem e não havia nem sinal da coruja por lá.

— Depressa, menino! — disse Gailde para Rurique. — Sabe o que fazer, não sabe?

— Sei — respondeu ele, correndo até a cozinha e voltando com uma bacia grande, de metal, nas mãos.

O menino colocou-a no chão, parecendo escolher o lugar correto para deixá-la.

— Não se esqueça de que alguns centímetros fazem toda a diferença — lembrou a mãe do menino.

— Eu sei, mãe! — disse ele.

A pedido da avó, Sátir trouxe um balde com água do poço e despejou tudo na bacia prateada. Rurique olhava para o céu e depois para a bacia, como se calculasse o lugar certo em que a bacia deveria ficar.

Tibor também olhou para o céu, mas ele parecia tão normal quanto em qualquer outro dia ensolarado; não entendia o que estavam fazendo.

— Pronto? — quis saber Sátir.

— Pronto, está perfeito! — respondeu a avó. — Agora é só esperar acontecer.

Todos ficaram de pé ao redor da bacia, que à primeira vista parecia nada mais que uma bacia de metal com água.

— A qualquer momento... — avisou a avó.

Tibor só viu o reflexo do sol incidindo na água da bacia, por uns dois longos minutos. Olhou para todos, para ter certeza de que não estavam vendo nada diferente dele. Fitou a irmã, que deu de ombros, indicando que também não estava entendendo nada.

— O que devemos ver? — perguntou Tibor.

— Shhh! — fizeram Rurique, Gailde, Avelino e Eulália, juntos.

— Você verá! — disse a avó.

Tibor soltou uma risadinha, pois achou que estavam de brincadeira com ele, mas depois de alguns segundos percebeu que ninguém ali parecia estar brincando. O menino começou a ficar impaciente com a bacia, que não tinha nada de mais, quando...

— Olhem! — disse Rurique.

Um círculo, tão brilhante quanto um pequenino sol, apareceu na bacia. Depois o círculo se dividiu em dois. Tibor e Sátir olharam para o céu e viram apenas um sol brilhando ali, no entanto o reflexo mostrava dois sóis! O que era aquele outro círculo na bacia, eles não sabiam. Foi então que o segundo círculo começou a rodear o verdadeiro reflexo do sol, aproximando-se devagar, até passar a ocupar aos poucos o mesmo lugar, como se os dois sóis se fundissem dentro da bacia. Depois, esse mesmo círculo cintilante foi se aproximando da borda da bacia, até sumir.

Tibor e Sátir não sabiam o que tinham acabado de presenciar, mas acharam muito intrigante. De onde será que apareceu aquele outro círculo, que tinha apenas surgido, passado pelo sol refletido e desaparecido?

— Acabou! — anunciou Gailde. — E aí, gostaram?

— Acho que sim — respondeu Tibor, confuso.

— Imaginei que teriam essa reação — disse Gailde, fitando a expressão dos dois irmãos, que pareciam confusos e sem graça.

— Adorei presenciar esse fenômeno com todos vocês, aqui, reunidos — começou ela, dirigindo-se a todos. — Esse é um evento único que acontece apenas uma vez por ano e é sempre no sábado de Aleluia. Muitos costumes se perderam com o tempo, mas esse é um costume que meu pai me ensinou a não esquecer — disse ela, com os olhos marejados. — Ninguém sabe dizer o que é esse círculo misterioso que aparece juntamente com o reflexo do sol dentro da bacia, por um breve instante. Mas meu pai me revelou o segredo.

Todos a observavam, atentos.

— O dia de Aleluia é uma tradição de família. É um fenômeno sem nenhuma lógica. Meu pai acreditava que aquele outro círculo era a Mãe D'ouro, uma espécie de espírito protetor de todos os seres — explicou Gailde. — Meu pai dizia que vê-la é como receber sua bênção. Traz boa sorte e reforça os laços afetivos entre as pessoas que a viram juntas. Pena que, na minha infância, deixávamos escapar momentos como esse... Talvez as coisas fossem diferentes de hoje em dia. — Seu olhar ficou distante por um momento. — Sou grata por tê-los aqui em meu sítio e espero que essa união que partilhamos jamais seja desfeita.

Tibor e Sátir abraçaram a avó que, enquanto falava, dirigia-se a todos, mas olhava principalmente para os dois.

— E jamais será desfeita, vó! — prometeu Tibor, enquanto ela afagava os cabelos dele e os da irmã.

— Bom, a mesa do almoço está posta — anunciou Gailde, enxugando as lágrimas e mudando de assunto. — Fiz um monte de coisas gostosas.

E Tibor não duvidava.

Todos entraram correndo e o garoto ficou para trás, de propósito. Respirou fundo e deu uma boa olhada no sítio. Quis acreditar no que a avó tinha dito em seu quarto. Que, pelo menos até a próxima quaresma, tudo ficaria em paz.

Bônus exclusivo

CONTOS DE DONA MIRTA

I

A MULHER DO PADRE

Mesmo em pleno século XXI, Dona Mirta nunca se acostumaria com as invencionices do mundo moderno. Tecnologia e suas vertentes eram um pouco demais para seus 95 anos. Apesar de agora morar na cidade com a família, ela era de outros tempos. Tempos de fazendas e cafezais. Pés de laranja e goiaba, rebanhos e pastoreadores. Leite, recém-tirado da vaca, no café da manhã.

Claro que ela sabia que nem todas as lembranças daqueles tempos eram boas. Dona Mirta tinha vivido anos como escrava numa fazenda. Quando criança, sua família toda fazia trabalhos forçados e estava sujeita a chibatadas injustas e desumanas.

Ela pensava nas grandes mudanças que um novo milênio podia trazer. Quando ela tinha a idade da neta postiça, que esperava por ela em seu quarto, era uma mera escrava. A diferença era que a menina tinha aprendido a ler e a escrever na escola, brincava com bonecas que ganhou em natais passados e tinha seu próprio quarto.

Dona Mirta andava pelo corredor da casa em direção ao quarto da menina. Prometeu contar histórias do lugar de onde tinha vindo, como sempre fazia. Suas histórias eram algo de que se orgulhava. Apesar de ela ser forte para a idade, sabia que não viveria muitos anos mais e suas histórias eram o legado que deixaria à neta.

Entrou no quarto e sentou-se ao lado da menininha de 7 anos. Eram diferentes e ao mesmo tempo parecidas. A pele escura de Dona Mirta contrastava com os cabelos louros da menina, mas os olhos brilhantes da neta eram como os da avó, quando tinha a mesma idade: ávidos por histórias.

— Longe de todos esses prédios que estão aí do lado de fora — começou Dona Mirta —, longe de todos os carros e faróis, existia uma cidadezinha de interior chamada Cascudo, onde morava Seu Antônio. Seu Antônio era dono do moinho da cidade. Era por causa dele que tínhamos farinha em casa. Dava pra fazer pão, bolo e outras coisas que se faz com farinha. Todos os dias eram sacas e sacas de farinha que saíam daquele moinho para fornecer à cidade toda e também às cidades vizinhas. Seu Antônio tinha muito sucesso nos negócios, mas ele era marcado por uma terrível história.

— Qual história, vovó? — perguntou a menina de cabelos dourados.

— Corria um boato de que a esposa dele tinha tido um caso com o padre da cidade. Algo que era considerado um grande pecado. Só que as pessoas que espalhavam esses mexericos diziam que isso traria grandes consequências para a esposa de Seu Antônio. Coisa que Seu Antônio desconsiderou veementemente. Até que algo de verdade aconteceu!

— E o que aconteceu?

Parecia que a ideia de contar histórias para fazer a neta dormir não estava funcionando muito bem. Os olhos da neta estavam cada vez mais arregalados de interesse e curiosidade.

— Bom, numa sexta-feira a mulher desapareceu. O falatório foi geral. Ninguém, incluindo Seu Antônio, sabia onde estava a tal mulher. Os boatos aumentaram. Diziam que era o tal do castigo que ela merecia. E como ela tinha sumido numa sexta-feira, seu castigo seria se tornar uma assombração e vagar por aí, como uma alma penada. Coisa que seu Antônio também desconsiderou veemente.

A avó olhou ao longe, como se buscasse na memória os detalhes da história.

— Procuraram por semanas e nada da mulher. Então Seu Antônio começou a ficar deprimido de tanta saudade que sentia da esposa. Não entendia por que ela tinha desaparecido. Por que o havia deixado. A tristeza de Seu Antônio foi ficando mais profunda e ele começou a ficar meio negligente com o moinho, que já não produzia tanto e não atendia a toda a cidade. Várias reclamações chegavam todos os dias, mas Seu Antônio desconsiderava também. Seus pensamentos estavam no sumiço da esposa.

— Numa sexta-feira à noite, sem aguentar mais aquela dor no peito, Seu Antônio resolveu ir à igreja. Sabia que o padre também tinha sido alvo de boatos, mas ele nunca tinha ido prosear com ele. Decidiu então que daquele dia não passaria. Precisava descobrir o que tinha de fato acontecido entre o padre e a esposa. Encontrou a igreja fechada. Parecia que estava fechada a dias. Eu acho que o padre deve ter sido amaldiçoado também. Onde já se viu um padre fazer uma coisa dessas?

— Na volta da igreja, passando pela rua de paralelepípedos, Seu Antônio seguia a passos largos. Estava confuso e com pressa de conseguir respostas, só não sabia mais onde procurar. E, como se o universo atendesse às suas preces, a resposta veio a galope. Não veio do jeito que Seu Antônio esperava, mas mudou a vida dele para sempre.

— Na escuridão da noite, não se via muito à frente. Apenas a igreja ao longe, à luz da lua. Foi quando aconteceu. Vindo lá do fim da rua, na sua direção, Seu Antônio vislumbrou algo horripilante. Um cavalo branco, furioso, cavalgando a toda velocidade. Mas, no lugar da cabeça, ele tinha labaredas de fogo!

— A mula sem cabeça? — arriscou a neta.

— Isso mesmo! Era a própria mula.

A menina se encolheu de medo.

— Seu Antônio pensou em correr, mas se lembrou das histórias da mula. Ele nunca tinha visto uma, mas sabia que o bicho enxergava as unhas, o branco dos olhos e dos dentes como fogo e atacava ferozmente quando os via. E foi assim que Seu Antônio conseguiu se safar. Fechou os olhos, as mãos e a boca. Ouviu as ferraduras da mula se aproximarem, passarem por ele e irem embora. O que mais Seu Antônio achou estranho foi o cheiro que a mula tinha. Era igualzinho ao perfume que a mulher dele usava.

A menina arregalou mais os olhos, chocada.

— Quando se deu conta disso, Seu Antônio foi tomado por uma tristeza sem igual. Percebeu que tudo o que ele tinha negado com veemência tinha mesmo acontecido. Desistiu de encontrar o padre, que deve ter tomado chá de sumiço, e de conversar com qualquer outra pessoa. Dizem que ficou tão arrasado que depois daquela noite nunca mais falou com ninguém. Passado um tempo, embrenhou-se na mata e ninguém nunca mais o viu. Todos que trabalhavam no moinho foram embora, pois não tinham mais pra quem trabalhar, e o lugar ficou abandonado por muito tempo.

— Coitado dele, vó! Mas e a mulher dele, o que aconteceu?

— Dizem que anda por aí, procurando alguém pra assustar, toda noite de sexta-feira.

2

AS JOIAS DA SORTE

A menina ainda não havia pegado no sono. Disse que estava com medo da tal mula e que a avó devia contar outra história. Dona Mirta adorava contar histórias e não negou o pedido da neta, mas resolveu contar uma história mais leve, já que a intenção era fazê-la dormir.

— Essa é uma história antiga também. Muito mais antiga que a do moinho do Seu Antônio. Ouvi há muito tempo e ela nunca me saiu da cabeça. Só sei o que me contaram, e o que me contaram foi o seguinte...

Antes que ela começasse, a menina se ajeitou de lado na cama, com a cabeça apoiada sobre as mãos juntas.

— Muito tempo atrás, muito mesmo, existia uma tribo de índias guerreiras. Eram chamadas de Icamiabas. Elas não aceitavam homens em seu grupo. E travavam conflitos sangrentos com tribos vizinhas ou com colonizadores, que vinham em suas caravelas pelo mar. Para elas não importava quais eram os adversários, suas armas, sua intenção, nada. Enchiam o ar com flechas, perfurando tudo o que havia no caminho. A cada batalha, aperfeiçoavam suas técnicas e se tornavam cada vez mais mortais. Seus feitos se espalharam aos quatro ventos e alguns diziam que venciam tantas batalhas por causa da grande sorte que tinham.

A avó fez uma pausa, para causar mais suspense.

— Foi esse tipo de comentário que fez com que os olhares de seres fantásticos se voltassem com interesse para as Icamiabas. Certo dia, a líder da tribo contou que tinha conversado com o pai das matas...

— Pai das matas? — quis saber mais a menina.

— Isso mesmo. Diziam que existia um tal de pai das matas e que ele cuidava da natureza como se fosse uma filha. As Icamiabas o respeitavam muito, pois diziam que era um ser com poderes mágicos. Segundo a líder do bando, ele tinha dito que elas precisavam cumprir uma missão urgentemente, um certo ritual durante a lua cheia. Após o cantar do último Aracuã, que é o pássaro que entoa o último canto ao pôr do sol, três das Icamiabas mais ferozes foram destacadas para se banhar no rio durante o ritual.

— Quando a noite chegou, as três índias despiram suas penas e retiraram suas aljavas e arcos. Então fizeram pinturas no corpo com tinta preta, feita de suco de jenipapo, e entraram no lago à luz da lua cheia. Seguindo as orientações do pai das matas, cada uma delas pegou argila do fundo do rio e a modelou na forma de um sapo. Era uma argila diferente, de cor verde, que ao entrar em contato com o ar endurecia até ficar como pedra. Na verdade, se tornava uma joia.

— Uma joia?

— Isso mesmo, minha neta. Contam que o que saiu do rio foram três pedras verdes, como se, em vez de modeladas, tivessem sido esculpidas. A líder anunciou que, segundo o pai das matas, a sorte das três guerreiras tinha sido materializada naquelas joias e que aquele era um presente para os humanos que um dia precisassem de sorte em sua jornada.

— Nossa, vó, que coisa mais linda! Eu queria uma joia dessas.

— Confesso que eu também. Com o tempo, as joias ficaram conhecidas como Muiraquitãs e passaram a ser oferecidas como presentes àqueles que precisassem de sorte.

A menina ainda não dava mostras de que estava com sono e a avó suspeitava que não dormiria se ela continuasse com suas histórias. Mas, quando a avó deu boa-noite, a menina fez uma carinha triste e a avó teve de prometer que, com ou sem sono, contaria apenas mais uma história e iria dormir, pois precisava descansar. Lógico que a menina concordou.

3

Canção De Ninar

Já era quase madrugada e Dona Mirta escolheu bem a história que contaria à neta para encerrar aquela noite.

— Essas histórias todas mantêm viva a memória dos povos antigos, dos nossos antepassados. Quando contamos esse tipo de história, a gente se torna parte de uma corrente.

— Como assim, vó?

— Ora, um dia me contaram histórias, hoje eu conto essas histórias pra você e amanhã você contará a seus filhos e, assim, nossa memória ficará sempre viva. Vou contar uma história que minha mãe me contava lá na senzala.

— O que é senzala?

— Senzala é o lugar onde dormem os escravos depois de um dia longo de trabalho. Quando eu tinha mais ou menos a sua idade, algumas noites eu tinha medo.

— Medo do quê, vó?

— Medo dos patrões, das chibatadas, mas principalmente medo da própria noite. Eu era igual a você, sabe? Adorava uma boa história na hora de dormir. E minha mãe sabia disso. Uma vez, ela me contou a história de uma criatura que vagava à noite. Seu nome era Chibamba, uma espécie de assombração ou bicho-papão que vaga por aí vestindo folhas de bananeira, amarradas uma na outra, cobrindo o corpo todo. O seu jeito de andar dá a impressão de que está dançando, porque as folhas balançam conforme ele dá cada passo.

— E o que ele faz, vó? — perguntou a menina ainda de olhos arregalados.

— Ele anda por aí procurando crianças que não querem dormir.

— Credo!

— Minha mãe dizia que ele sente o cheiro de crianças sem sono, vai atrás delas e leva todas com ele. Não me pergunte pra onde. Ninguém nunca encontrou uma criança que foi levada pelo Chibamba. Existia uma musiquinha que minha mãe cantava também. Pelo que eu me lembro, era mais ou menos assim:

Corre, criança, bora dormir
Aí vem Chibamba que quer te engolir.
Engole toda criança sem sono
Vai te engolir, não importa como.

Enquanto eu estiver cantando,
Chibamba vai continuar dançando
Mas quando eu acabar de cantar
É bom que você já esteja a roncar.

Quando Dona Mirta terminou a musiquinha, por medo ou por sono, a menina estava de olhos fechados e a senhora resolveu não interferir. Antes de apagar a luz e sair do quarto rumo à sua própria noite de sono, certificou-se de que a menina estava bem coberta e despediu-se dela com um beijo.

— Boa noite, minha pequena Rosa Bronze.

PRÓXIMOS LANÇAMENTOS

Para receber informações sobre os lançamentos da
Editora Jangada, basta cadastrar-se no site:
www.editorajangada.com.br

Para enviar seus comentários sobre este livro,
visite o site www.editorajangada.com.br ou mande
um e-mail para atendimento@editorajangada.com.br